MIXTE
Papier issu de sources responsables
Paper from responsible sources
FSC® C105338

FSC
www.fsc.org

Ne jamais regarder en arrière...

Anaëlle Guérin

© 2023, Anaëlle Guérin
Édition : BoD – Books on Demand, info@bod.fr
Impression : BoD – Books on Demand, In de Tarpen 42, Norderstedt (Allemagne)
Impression à la demande

Couverture : Photoscape
Illustration : ©Adobe Stock
ISBN : 978-2-3224-7117-1

Dépôt légal : Février 2023

De la même autrice :

Hier...ou demain – Editions Librinova 2020

Serendipity, heureux hasard – Editions Librinova 2021

❧ Dédicace ❧

À tous les gens qui tentent de se reconstruire,

À mes trésors, Jules et Ugo, gardez vos valeurs si belles et si humaines

Prologue

Plongeant la main dans le vieux sac à dos noir qui a servi tant de fois aux balades que nous faisions ensemble, je crie de rage de ne pas trouver ce que je cherche. Mes mains tremblent et continuent pendant quelques secondes de fouiller et sortir une gourde, un paquet de céréales, une paire de chaussettes… mais rien qui ne ressemble à un petit livret rectangulaire.

C'est impossible. Il n'a pas pu disparaître. Elle n'a pas pu disparaître.

Je repousse les vêtements éparpillés sur le lit et tente de réfléchir posément même si je sens bien que j'ai complètement perdu les moyens et la maitrise de la situation.

J'ai beau ressasser dans tous les sens les évènements de la veille, cela ne me semble pas logique. Je ne trouve pas d'indice et je sens la frustration monter en moi. Ma poitrine se soulève avec effort et je me retiens de hurler. Des gouttes de sueur viennent perler sur mon front et je respire difficilement.

J'ai bien peur de devoir passer au plan B.

Et passer au plan B risque d'être plutôt regrettable pour tous. Mais je n'ai plus le choix.

Je jette un coup d'œil vers la fenêtre de la chambre. Maxou, le chat gris de la maison passe entre mes jambes réclamant des câlins, mais cette fois, je ne suis pas apte à les lui rendre. Mon état d'esprit n'est pas à la tendresse. Je suis si tendu que tous mes muscles sont contractés.

Je sais que je ne dois pas perdre une minute.

Je tapote contre la fenêtre, comme si cela allait m'aider à réfléchir, repousse mes cheveux collés sur mon front à cause de ma chaleur corporelle et sort brusquement de la chambre.

Chapitre 1

« Le bonheur, c'est parfois regarder la vie autrement »

Anonyme

Je cligne les yeux une dernière fois, prenant le temps de décoller mes paupières, puis relâche mes doigts restés crispés sur les accoudoirs et grimace de douleur tant mes phalanges sont engourdies. Les douleurs articulaires ne perdurent que quelques secondes, mais un claquement dans mes oreilles me fait sursauter. Je soupire intensément, soulagée que nous ne soyons plus en altitude et que les roues de l'avion soient entrées en contact avec le tarmac.

Une sensation plutôt douce se pose sur le haut de ma main et j'ouvre les yeux pour faire face à un visage de poupon aux traits fins et aux yeux d'un bleu profond. Des lèvres pulpeuses, que je prends une seconde d'envier, me murmurent quelque chose dont je suis incapable de saisir le sens. Je me contente de hocher la tête en souriant péniblement.

J'ai toujours appréhendé de prendre l'avion, même si j'ai rarement voyagé. Et ce moment d'atterrissage est pour moi une extrême souffrance. J'ai essayé de bloquer ma respiration jusqu'à espérer perdre connaissance pour ne plus rien ressentir, mais rien n'y a fait, il y avait toujours une charmante hôtesse de l'air au chignon impeccable pour tenter de me rassurer et me donner un verre d'eau avec un regard empli de bienveillance.

C'est plus fort que moi et absolument incontrôlable. Je n'ai pas réussi à me calmer et mes mains sont restées moites pendant tout le trajet.

Par ailleurs, voir l'ensemble des passagers continuer de vaquer à leurs occupations, comme si aucun risque de crash ne pouvait exister, me terrifie davantage.

Le bruit des gens se bousculant pour récupérer leurs affaires dans les compartiments à bagage cabine me sort de ma torpeur et m'encourage à rassembler mes effets personnels positionnés entre mes genoux et mes pieds.

Je jette un dernier coup d'œil au hublot du siège 27 devant lequel je me trouvais depuis les trois dernières heures. A l'extérieur, je ne constate qu'une piste goudronnée et une légère agitation. Je suis en vie, c'est le principal. Et je suis arrivée à destination.

Quelle destination, je n'en suis pas vraiment certaine pour le moment, mais en tout cas, cet avion s'est posé sur la première terre qui m'était venue à l'esprit il y a seulement quelques jours : l'Islande.

Chapitre 2

« Le bonheur est un délicat équilibre entre ce que l'on est et ce que l'on a »

Anonyme

Je suis immédiatement frappée par le silence qui plane dans l'aéroport. Pourtant, cela regorge de monde et les discussions et l'excitation perçues autour de moi devraient résonner dans les longs couloirs qui nous mènent aux tapis des bagages.

Il n'en est rien. Nous pourrions entendre une mouche voler, tant l'atmosphère est étrangement calme. Le contraste avec le bruit des moteurs de l'avion, subi pendant le voyage, est violent. J'ai le sentiment de me retrouver dans une énorme bulle hermétique et d'avoir les oreilles bouchées.

Pourtant, en quelques instants seulement, mes épaules se rabaissent en douceur, au fur et à mesure que je marche. Je sens instantanément que j'ai choisi le bon pays. Sans même en apercevoir les paysages, je suis déjà séduite par cette destination qui ne me serait jamais venue à l'esprit il y a quelques temps. Je croise les doigts pour que cette sérénité qui se dégage ici perdure à l'extérieur.

Perdue dans mes pensées devant les énormes rouleaux en caoutchouc qui viennent nous apporter nos valises, une femme âgée d'une soixantaine d'années m'observe en souriant. Je sens son regard figé sur moi et, mal à l'aise, je fais tout pour éviter ses yeux rieurs en détournant la tête.

Je suis venue ici pour voir le moins de gens possible, alors hors de question de sympathiser avec qui que ce soit dès l'aéroport.

— Je suis persuadée que ma valise va arriver en dernier. C'est le cas à chaque fois.

Je la regarde du coin de l'œil sans lui répondre puis revient à mon observation du tapis roulant.

— Ce n'est pas le cas pour vous ?

Cette fois-ci, impossible de faire semblant de ne pas entendre. Elle me regarde en souriant et je suis rapidement attendrie par sa tignasse aux cheveux blancs et son regard pétillant entouré de rides gracieuses. Il ne m'en faut pas plus pour me demander ce qu'une femme de son âge fait seule, en vacances.

Comme elle continue de me regarder, espérant certainement une réponse de ma part, je finis par abdiquer dans ma résolution de devenir ourse insociable.

— Je n'ai pas voyagé depuis longtemps, donc je ne sais pas vraiment, murmuré-je timidement.

— Oh, prononce-t-elle dans un soupir. Vous êtes là pour le travail alors ?

Je hausse les sourcils, ça y est la partie chiante de la relation humaine commence… : devoir raconter sa vie et se justifier alors même que nous ne nous connaissons pas.

— Non pas du tout, affirmé-je d'une voix plus ferme.

De nouveau, une forme de mutisme s'empare de moi. C'est une femme qui semble intelligente. Elle a compris que je ne souhaitais pas en dire davantage. Elle s'éloigne quelque peu de moi et je culpabilise de ma rudesse.

Pour autant, je désespère de ne pas voir ma valise noire arriver et prie intérieurement pour que la compagnie ne l'ait pas égarée sans quoi je vais me retrouver uniquement avec les vêtements que je porte sur moi. Rien que d'y penser, je sens une bouffée d'angoisse me saisir la poitrine.

Je ne suis pas prête.

Me retrouver seule dans un pays totalement étranger, où l'on ne parle pas le français, avec comme seule compagnie mon âme et mes cicatrices… Je n'ai qu'une seule envie… faire demi-tour.

Mais j'essaie de me reprendre un peu, avec l'énergie que je possède à l'heure actuelle. Ma pauvre fille, secoue-toi, tu as fait le plus dur. À présent, tu vas assumer ta décision, récupérer ta valise et remuer tes fesses ! Pester contre moi-même était nouveau. Je le découvrais depuis le début de mon voyage. D'ordinaire, je suis plutôt docile avec un caractère assez plat qui subit plus que ne se rebelle.

— Alors, toujours pas de trace de votre valise ? Je vous l'ai dit, elles vont arriver au dernier moment, histoire de nous causer un peu de stress supplémentaire.

Je sursaute, surprise d'entendre encore la femme âgée me parler. Ce qu'elle me dit ne fait que renforcer mon angoisse et je tente de formuler dans ma tête la phrase que je vais devoir traduire dans mon anglais de primaire, à l'office des bagages perdus.

— Vous êtes toute pâle. Vous sentez-vous bien ?

Plus elle me parle, et plus j'ai la sensation d'être en hyperventilation. Je voudrais lui dire de se taire, mais je n'y parviens pas. Ma bouche est sèche et j'ai beau avaler ma salive, ma gorge ne s'humidifie pas. Je me retiens de haleter comme un petit chien pour essayer de respirer au mieux, et garder ainsi le peu de dignité qu'il me reste.

— Vous voulez que je prévienne quelqu'un ? Ma pauvre jeune femme, votre teint m'inquiète vraiment.

— Ça va aller, parviens-je à murmurer. C'est le contrecoup du voyage. Je vous ai dit que je n'ai pas l'habitude. Cela va passer.

— Rassurez-moi, quelqu'un vient vous chercher ?

— Non, j'ai loué une voiture.

— Et vous êtes certaine d'être en capacité de conduire ? Je vous sens toute tremblante.

Même si elle m'agace, je sais qu'elle a parfaitement raison. Je ne suis pas en état de conduire.

Je suis en état de rien du tout d'ailleurs. J'aurais dû rester chez moi, chez nous. Dans le petit pavillon où nous habitons en Loire-Atlantique. Celui qui me protégeait des autres et du monde extérieur. Là où je possédais ma vie depuis 5 ans, lorsque nous avons décidé qu'il était mieux que je travaille à distance. Cela générait moins de stress que de conduire tous les jours et d'affronter le centre-ville. C'était donc plus que mon chez moi, c'était mon antre, mon repère, ma bouée de secours lorsque l'extérieur devenait trop agressif.

Je prends le temps de souffler en fermant les yeux quelques secondes et quand je les ouvre de nouveau, j'aperçois enfin avec soulagement ma valise géante qui comprend toute ma vie.

La vieille femme qui ne m'a pas quittée doit apercevoir la sienne aussi car elle s'éloigne et revient traînant une énorme valise jaune derrière elle, un sourire immense sur son visage.

— Ça y est, nous avons toutes les deux retrouvé notre bien le plus précieux pour le temps de ces vacances.

J'essaie de lui sourire, mais je ne suis pas convaincue du rendu. Si elle savait et si elle me connaissait davantage, elle ne prendrait même pas le temps de s'adresser à moi. Et elle ne sait pas à quel point sa dernière phrase est pleine de vérité.

Chapitre 3

« Le malheur peut être un pont vers le bonheur »

Proverbe japonais

Après avoir légèrement retrouvé mes esprits, je me retrouve dans le hall de l'aéroport, frigorifiée par les courants d'air que laissent entrer les portes du sas principal.

Je récupère ma doudoune bleue dans ma valise, l'enfile avec soulagement et m'apprête à affronter cette nouvelle aventure.

À mes risques et périls...

La navette qui doit me conduire au bureau de location afin de récupérer ma voiture m'attend à l'extérieur et je suis rassurée de ne pas avoir à la chercher pendant des heures.

Beaucoup trop d'émotions m'ont parcourue ces dernières semaines, et encore plus depuis hier, où tout s'est précipité.

— Hi, salué-je mon hôte qui me conduit à la navette « *Lava Car* ».

C'est l'agence la moins chère que j'ai trouvée et surtout avec plusieurs véhicules disponibles malgré le fait que je m'y sois prise tardivement.

Nous sommes début mai, et je pense qu'il n'y a pas trop de touristes à cette période de l'année. Mais comme je n'ai pas encore d'idée sur la durée totale de mon séjour, j'ai bloqué la voiture pour quatre semaines. À voir par la suite comment j'allais me débrouiller. Tout dépendra des nouvelles que j'aurai de France.

Le chauffeur saisit ma valise et m'invite à monter dans son van d'un geste de la main.

En sortant du parking, j'aperçois au loin la femme aux cheveux blancs qui pénètre dans un bus coloré. Je souris presque de cette rencontre fortuite qui m'a laissé un arrière-goût, à la fois d'agacement et de tendresse.

Pour la première fois depuis que nous avons atterri, je prends le temps d'observer ce qui nous entoure. C'est très plat. Et ce n'est que lorsque nous sortons du parking de l'aéroport que je suis stupéfaite par le désert environnant. Cela n'a pas l'apparence de la terre, mais cela ressemble véritablement de la roche.

Il n'y pas de grands bâtiments, de feux tricolores, de bruit de klaxon. Uniquement des étendues de roches noires recouvertes de mousse vert clair. Je sais que nous sommes assez éloignés de la capitale du pays, Reykjavik, mais cet aspect lunaire me saisit immédiatement et, étonnamment, me rassure. C'est certainement ce qu'il me fallait le plus en ce moment.

Je récupère ma voiture quelques instants seulement plus tard. Un papier signé, des clés données dans un anglais peu compréhensible, et me voilà sur le parking face à mon petit 4*4 blanc qui va me servir de meilleur ami pendant ces prochaines semaines, ou mois... ou années....

Si la sensation d'être démunie me parcourt l'esprit, je me ressaisis rapidement et prends en main cette voiture qui ressemble à celles en France et qui ne doit pas m'inquiéter. En même temps, depuis combien de temps n'avais-je pas conduit ?

Comme j'en ai la furieuse et détestable habitude, dès que mon esprit divague, des souvenirs m'envahissent sans avoir le choix de les laisser oppresser, ou non, ma mémoire.

« Tu vois, je te l'avais dit que tu ne t'en sortirais pas. Tu t'évertues à vouloir faire des choses qui vont te mettre en danger. Tu n'es pas prête, mais une fois de plus, tu n'as pas voulu m'écouter.

J'étais alors descendue du véhicule, les jambes flageolantes et le cœur palpitant si fort que je craignais de faire un malaise. Puis, je m'étais installée côté passager, n'osant jeter un coup d'œil à mon co-pilote, qui lui, avait pris place derrière le volant.

Il me lança un regard de biais et mon sourire forcé le rassura car il reprit sereinement le contrôle de notre voiture grise ».

Repenser à ces moments me paralyse et je dois fermer les yeux, le temps d'un arrêt avant un rond-point, pour repartir à la recherche de l'oubli.

Puis, après quelques centaines de mètres parcourus, je décide de m'arrêter de nouveau pour retirer bonnet et doudoune qui, finalement, dans l'habitacle de la voiture, me provoquent des sueurs désagréables.

Le GPS du téléphone acheté dans une toute petite boutique de l'aéroport, ne fonctionne pas bien et je m'efforce de trouver la route pour me permettre d'atteindre la destination qui va m'accueillir ces trois prochaines nuits. Je rejoindrai ensuite un autre logement que j'ai loué pour les semaines suivantes.

Les guides touristiques annonçaient que la conduite était plutôt simple. Qu'il n'y avait qu'une seule route et qu'à cette période de l'année elles étaient toutes ouvertes et non condamnées à cause de la neige. Heureusement, les guides avaient dit vrai. La capitale, Reykjavik est plutôt bien annoncée et mes cervicales s'en détendent.

Il va falloir apprendre à lâcher prise, j'en ai bien conscience, mais cette nouvelle aventure me terrifie. Même si je suis persuadée d'avoir pris la bonne décision. Je me le répète suffisamment tel un leitmotiv depuis que je suis partie, alors autant essayer de s'en convaincre le plus tôt possible. Cette fois-ci, j'ai décidé de laisser la faiblesse de côté.

Jusqu'à quand aurai-je cette ressource, je l'ignore, mais il est nécessaire et vital que je m'y accroche.

Chapitre 4

Plus grande ville du pays, Reykjavik ne comporte pas moins de 130 000 habitants et pourtant l'ambiance nordique provoque une certaine intimité palpable uniquement au regard.

Parcourir une capitale est pour moi une grande source d'appréhension, mais je réalise rapidement que tout est facilement accessible ce qui me permet, par la même occasion, de passer inaperçue.

C'est exactement ce que je recherchais en venant ici. À 3h30 de Paris, j'étais à la fois, peu éloignée de la France où j'y ai de fortes attaches, et en même temps dans un pays qui allait me permettre de me faire toute petite pendant quelques semaines.

Le temps de me retourner.

Le temps de réfléchir, seule. Chose que je n'avais pas faite depuis un laps de temps particulièrement conséquent qui ne se mesurait plus. Et si tout se passait bien, le temps de me reconstruire.

Il est presque 19 heures lorsque je me gare devant une porte violette et une façade orange. On ne peut pas dire que le mélange de ces deux couleurs s'harmonise.

Mais lorsque j'observe le reste de la rue, il y a de telles couleurs, les unes toutes plus différentes que les autres, que j'en souris. En fait, les habitants de Reykjavik ont tout compris. Chacun fait comme bon lui semble sans que le maire ne condamne le propriétaire car le crépi beige de la façade n'est pas le même que celui de son voisin...

Je soupire de soulagement en apercevant la clé dans la boîte mise à disposition sur le mur que j'ouvre facilement grâce au code reçu le matin même sur mon adresse mail, et que je peux consulter grâce à mon nouveau téléphone.

Première étape franchie ! Je ne dors pas dehors ce soir ! Je coupe ma respiration le temps de pousser la porte qui grince au fur et à mesure de mon geste pour l'entrouvrir.

Lorsque je pénètre à l'intérieur et que je pose ma grosse valise dans l'entrée, j'ai comme la sensation de réintégrer de l'air dans mes poumons. Je me sens immédiatement chez moi. Certes, je ne vais y rester que trois nuits, mais je m'y sens bien. Si l'immensité de la pièce provoquée par la hauteur des plafonds me laisse un fort sentiment d'isolement, la décoration y est chaleureuse. Les fenêtres sont petites mais permettent ainsi une absence de vis-à-vis qui me conforte.

Quelques minutes plus tard, assise sur le canapé d'angle gris, je regarde par la fenêtre, ferme les yeux et reste absorbée par le silence qui m'entoure.

Pour la première fois depuis des années, je me retrouve seule. Je suis partagée entre l'excitation et l'effroi. Mes bras sont douloureux tant ils ont été tendus pendant le vol et pendant la conduite. Je prends alors le temps de les masser en réfléchissant à tout ce qui s'est déroulé, rien que depuis ce matin.

Mon mari doit me chercher partout et doit être terriblement angoissé. J'ai pris le parti de lui laisser un mot avant de quitter le domicile.

Enfin, juste une phrase.

Mais j'espère qu'il comprendra.

J'ai rencontré Stéphane il y a 17 ans. J'avais tout juste vingt ans et lui en avait 31. Au début, mes parents ont mal perçu cette relation en raison de notre différence d'âge. Pourtant, c'est cette maturité chez lui qui me sécurisait. Jamais on ne m'avait apporté autant d'amour. J'ai connu quelques flirts en tant qu'adolescente, puis une relation sérieuse de mes 18 à 20 ans, pendant mes études en tourisme. Mais c'est lors de mon stage d'été, à la fin de mon BTS, que je l'ai vu pour la première fois.

J'étais seule dans l'agence de voyage pendant la pause déjeuner et un grand blond aux yeux clairs est entré avec autant de charisme que certains acteurs américains.

Au départ, il m'a à peine regardée, il cherchait certainement l'inspiration en fixant les panneaux d'affichage et les catalogues de présentation. C'est lorsque je lui ai demandé si je pouvais l'aider qu'il m'a dévisagée avec un regard si intense que je me suis liquéfiée instantanément. Il a tripoté les lunettes de soleil posées sur sa tête d'un geste classe et élégant et j'ai ressenti des brûlures dans tout le corps.

En choisissant de m'installer avec Stéphane seulement quelques semaines après notre rencontre, mes parents se sont naturellement éloignés. Du moins, dans un premier temps. Car ils ont vite découvert ses bons côtés et ils le considéraient à présent comme le gendre idéal. Ma mère était entièrement séduite. De voir notre histoire perdurer les a confortés dans le fait qu'ils avaient eu raison de faire confiance en mes choix.

Repenser à notre rencontre m'attendrit, le temps de quelques secondes seulement. Je me demande ce qu'il peut faire à l'instant présent et si mes parents ont découvert que je suis partie.

Je caresse mon ventre, à la fois nostalgique et accablée, m'installe confortablement en appuyant mes épaules sur le dossier du canapé, puis m'assoupis sans même penser à m'alimenter.

Chapitre 5

« Le bonheur c'est lorsque vos actes sont en accord avec vos paroles »
Ghandi

Le lendemain matin, je me réveille dans la même position que celle de la veille, à quelques centimètres près. La lumière du jour inonde la pièce à travers les petites fenêtres en bois et force mes paupières à se soulever.

Mon corps est courbaturé et je fronce les yeux à chaque nouveau mouvement qui finit par me propulser adroitement sur mes deux pieds. Tout en baillant et en étirant mes bras, je me déplace dans la petite pièce à proximité du salon et fouille instinctivement dans la cuisine, rustique, mais fonctionnelle. Je parviens rapidement à trouver du café, à mon grand soulagement. L'odeur de cette poudre noire filtrant à travers l'eau me réconforte.

La nuit a été agitée. Je ne me souviens de rien, mais je la ressens dans tous mes membres. Parce que mon corps, lui, se souvient de tout. C'est fou comme l'esprit et le corps peuvent être reliés, et que, même lorsque l'esprit tente de se reposer, de la tête aux pieds, les émotions s'expriment.

Aussi loin que je me souvienne, j'ai toujours essayé de refouler mes ressentis, mes sentiments, tout ce qui pouvait me fragiliser, tout ce qui pouvait être utilisé contre moi. Une sorte de bouclier virtuel. C'est mon éducation, ce que l'on m'a transmis, fierté ou non, cela fait partie de mes gênes, quelque chose qui est tellement ancré dans mes veines que lutter contre ne sert pas à grand-chose.

Je suis fille unique, alors je n'avais que le modèle paternel et maternel, mais je m'attachais également à l'exemple de mes amies d'enfance, entourées de frères et sœurs qui pimentaient leur quotidien. Pour grandir, je ne me suis fiée qu'à moi-même et à mon instinct.
Des regrets ? j'en ai des tonnes !
Est-ce le moment d'y penser ? Oui, certainement.
Mais pas tout de suite, pas ce matin…

C'est sur cette dernière pensée, ma tasse de café à la main, que je décide brusquement d'aller m'acheter un appareil photo. Cette lubie n'apparaît pas sans fondement. J'ai toujours aimé la photographie. Sauf que je ne me suis plus cachée derrière un objectif depuis des années.

Faute de confiance en moi ? À 37 ans, j'ai l'impression que je n'ai jamais vécu par moi-même. J'envie profondément ces femmes fortes avec une personnalité qui les invite à aller au bout de leurs rêves. Des projets à foison et des envies irrépressibles de s'affirmer plus que tout, bien plus que le regard des autres.

Améliorer l'interaction entre mon corps et mon esprit : premier objectif de ce voyage.

Je pose brutalement la tasse dans l'évier et file découvrir la salle de bain pour me préparer, un air de « *The eye of tiger* » dans la tête qui résonne énergiquement.

« Tu as vraiment besoin de sortir tout le temps avec ton appareil ? On dirait une groupie qui cherche à obtenir le graal ! Et quel intérêt si tu gardes toutes ces photos pour toi ? D'autant que ce n'est pas terrible tout de même !

Je regarde par la fenêtre pour ne pas montrer les larmes qui coulent le long de mon visage. Comment font ces femmes pour vivre quand tout ce qu'elles entreprennent est voué à un échec ? Certaines sont nées avec des dons pour tout. Si seulement une fée s'était penchée sur mon berceau pour m'en donner rien qu'un seul... ».

Chapitre 6

« Le vrai bonheur ne dépend d'aucun être, d'aucun objet extérieur. Il ne dépend que de nous »

Dailaï Lama

Trop timide, ou alors trop peu dégourdie, je n'ose prendre des positions qui pourraient se révéler suggestives et qui attireraient immanquablement l'attention sur moi. Alors, un peu gauche, je tente d'attendre que personne ne passe sur cette allée qui m'inspire et que je voudrais immortaliser avec mon nouveau reflex numérique. Ce qui est parfaitement impossible au vu du passage et de l'attrait touristique de cette rue.

Si je me focalise sur l'aspect positif des choses, j'ai la sensation de gravir des étapes aussi hautes qu'elles étaient infranchissables il y a seulement 48 heures. Mais je suis également lucide sur le fait que je ne suis pas au bout de mes peines. Surtout dans ce moment incongru où je suis si peu à l'aise, que je n'ose photographier ce bitume de couleur, parce que l'angle idéal est de s'allonger sur le sol pour faire ressortir au loin l'église luthérienne de Reykjavik.

De mon point de vue, elle paraît petite, avec son apparence d'orgue basaltique. Mais j'ai vu dans mon guide touristique qu'elle atteint plus de 74 mètres de hauteur. Les six bandes colorées qui mènent jusqu'à elle, apportent un visuel attractif à mon œil de débutante en art.

Mais pour le moment, j'ai davantage l'air d'une potiche maladroite, qui se cache derrière un des nombreux arbres plantés le long de l'allée, et attendant LE bon moment.

Cette route piétonne et passante est bordée de bars et de boutiques. Donc aspirer à m'y retrouver seule relève d'une dimension surréaliste.

Alors, en ni une ni deux, je finis par me lancer dans une prise de vue rapide mais que je tente de cadrer tout de même, histoire de ne pas me décourager et de tout laisser tomber au premier cliché.

Rougissant de la tête au pied, une fois le doucereux cliquetis retenti, je pousse un soupir sonore de soulagement et regarde rapidement autour de moi pour être certaine que personne ne me fixe et ne se soit rendu compte de mon ridicule.

Je reste tétanisée lorsque je surprends le regard d'un homme posé sur moi. Je tourne la tête sur le côté, plutôt brusquement, et m'empresse de ranger mon reflex dans ma sacoche, comme si j'avais commis un crime horrible. Lorsque je lève la tête, son regard est encore fixé dans ma direction.

Assis à la terrasse d'un café, il pourrait très bien observer l'ensemble des gens déambulant dans la rue, mais non, ses yeux sont bien braqués sur moi et me transpercent, laissant parcourir un frisson glacial dans ma nuque.

Je plisse les yeux, maintiens un quart de seconde le regard, puis me précipite en direction de ma location, quelques centaines de mètres plus loin.

Je suis essoufflée quand je parviens à atteindre la porte et me glisse à l'intérieur de mon abri du moment pour reprendre mes esprits.

Dans la salle de bain, à l'aide d'une serviette, j'essuie mon front et arrose mes bras d'eau fraîche, afin de me remettre de mes émotions.

Je suis en sueur. Pourtant, on ne peut pas dire que ce sont les températures extérieures qui font monter la chaleur. Nous sommes le 9 mai. Mais en Islande, c'est comme une sorte d'hiver chez nous. Il fait à peine 9 degrés ce matin.

A Guérande, en ce moment-même, le printemps annonce doucement l'été, les terrasses commencent à se remplir de gens excités par l'apparition du soleil, la ville prend un tout autre dynamisme. D'un vide hivernal, elle passe à une ville touristique que des centaines de personnes viennent visiter de part et d'autre de toute la France.

Au début de notre relation, nous vivions sur Nantes. Et plus mon mal-être s'accentuait, plus il m'était compliqué de prendre les transports à Nantes, voir même de sortir.

Stéphane avait découvert une superbe affaire avec cette maison de 3 chambres, pour les enfants, avait-il prononcé avec un sourire charmeur. Puis, se rendant compte de sa maladresse, il m'avait serrée dans les bras et avait ajouté dans le creux de mon oreille « pour mieux se reconstruire ».

Depuis notre installation à Guérande, je n'avais plus mis les pieds dans cette grande ville qui m'attirait pourtant, adolescente. Quant à Stéphane, il possédait son entreprise d'architecture en banlieue de Nantes. Il était prêt à faire la route tous les jours, le temps de finir quelques chantiers et d'installer son cabinet à la maison.

Les choses s'étaient vite emballées, j'étais dans un moment de ma vie où il était préférable que l'on pense à ma place, vu que mon cœur et mon esprit étaient comme anesthésiés. Alors je m'étais laissée guidée par Stéphane. Stéphane mon socle, mon tout… et nous avions emménagé dans cette belle maison au bord des marais salants. Loin des gens, loin de tout…

Les premiers temps, j'ai pensé que c'était exactement ce qu'il me fallait pour oublier. Puis, plus les jours passaient, plus je me sentais enfermée et condamnée à mourir dans la solitude. Je ne m'alimentais plus, ne sortais plus. J'arrivais à peine à franchir le seuil de l'entrée pour observer mon jardin. Mon mari voyant mon état se dégrader, travaillait davantage à la maison. Ainsi, il me faisait à manger le midi et je m'efforçais de lui faire plaisir. Je ne parvenais pas à remonter la pente comme on m'invitait à le faire, la souffrance qui me dévorait se jouait de moi, et rien n'était gagné d'avance.

Chapitre 7

« Le bonheur en partant, m'a dit qu'il reviendrait »

Jacques Prévert

C'est le front perlé de gouttes de sueur que je me réveille brusquement. Il ne fait pas complètement nuit, puisqu'à cette époque-ci en Islande, il ne fait nuit que de minuit à quatre heures du matin. Et encore, le ciel n'est pas obscur comme on peut le voir en France. Il garde une certaine luminosité qui éclaire le chemin des plus perdus. A croire que cela ne suffit pas à calmer mes sombres pensées.

Je me redresse dans mon lit qui grince à chaque mouvement. Cela change du canapé de la veille. Pour autant, je ressens tout autant de courbatures qui me démontrent que même lorsque je dors, mon corps n'est qu'un catalyseur de tensions.

J'ai du mal à repérer quelle heure il peut bien être. Mon esprit est encore au cauchemar qui m'a saisie et qui semblait si réel que j'en frissonne encore.

Je parviens, après quelques efforts acrobatiques, à atteindre mon téléphone portable qui charge sur le sol de la chambre.

5h12.

Je soupire en constatant, qu'une fois de plus, je n'ai pas fait une nuit complète.

Puis, je replonge mon corps sous la couette, ma tête et mon dos rebondissant sur le matelas moelleux, et me masse les paupières qui me font mal tant elles picotent. Peu à peu, en soufflant, j'essaie de calmer mon rythme cardiaque comme j'en ai l'habitude.

Il est bien trop tôt pour me lever. Pourtant, je sais pertinemment que je ne vais pas réussir à me rendormir et rester au lit ne fera qu'empirer mes angoisses.

Ce n'est pas le premier cauchemar qui assaille mes nuits. Les plus violents sont apparus il y a cinq ans, mais finalement, mes nuits ne sont plus tranquilles depuis si longtemps que je ne compte plus.

Stéphane pensait qu'ils cesseraient en s'installant à Guérande, il y a cinq ans. Il pensait que cela m'occuperait l'esprit d'aménager la nouvelle maison.

Ce ne fut pas le cas. C'était même risible d'avoir pensé que cela suffirait. La plaie ne s'était pas refermée et restait à vif. Elle étant ancrée en moi comme une cicatrice voyante et douloureuse qui ne s'atténuerait jamais. Elle me picorait à vue d'œil et m'avait diminuée à tel point que le terme de zombie m'allait plutôt bien.

Autrefois, lorsque j'étais bien plus jeune, je me trouvais presque jolie. Le teint lumineux et lisse, les cheveux longs et brillants, pleine de vitalité les fossettes avaient depuis longtemps pris possession du bas de mes pommettes. Pour éviter de devoir vivre cette comparaison de façon violente, j'évitais tout simplement de rester trop longtemps à observer mon reflet dans un miroir.

Je me redresse péniblement et reste le regard perdu dans le vide.

En même temps, avec le recul, je suis persuadée que je n'étais pas seule à vivre cette situation. Malheureusement, d'autres mères ont vécu ce même cauchemar. Je n'étais pas uniquement faible et incapable de me battre, j'étais tout simplement détruite.

Il y a bien longtemps que je luttais pour survivre et non pour simplement vivre.

Je défie n'importe qui de me dire comment se remettre du traumatisme de la perte d'un enfant.

Chapitre 8

« Il est temps de vivre la vie que tu t'es imaginée »

Henry James

Il est seulement six heures lorsque je prends la voiture en direction de la côte afin de respirer l'air qui me manque terriblement naturellement dans mes poumons. Mon thermos de café dans une main, la sacoche de mon appareil photo sur le siège avant, je suis partie subitement sans vraiment réfléchir à mes gestes. Hors de question de rester plus longtemps dans mon lit à me lamenter sur les souvenirs.

Les larmes roulent doucement sur mes joues mais j'en ai tellement pris l'habitude que je ne les essuie plus. Les mains sur le volant, je me laisse guider selon mon instinct présent. Tout ce que je sais, c'est que je roule sur la route 41 vers l'ouest. Et plus je roule, plus j'augmente le volume de la radio qui fait résonner dans l'habitacle des airs de rock qui conviennent bien à mon humeur du moment.

Je suis venue en Islande pour tenter de vivre pour moi. Ce que je n'ai pas su faire pendant des années. C'est violent et c'est plus dur que je ne le pensais. Mais je sais aussi, qu'une petite flamme se trouve encore au fond de moi. Et qu'elle aurait voulu que je la ranime.

Je ne sais pas combien de temps défile pendant que je roule devant ces paysages lunaires avant qu'un panneau signalétique ne m'interpelle.

Je me gare brusquement sur le côté, en mode warning, et tapote quelques mots sur mon téléphone. Je découvre que le fameux *Blue Lagoon* indiqué sur le panneau qui a attiré ma curiosité est une source chaude à l'allure laiteuse. Connue pour être artificielle et touristique, l'aspect bleu turquoise me séduit cependant immédiatement. Cela semble hors de prix, mais le mot SPA fait écho en moi et en mon fort besoin de me détendre. Il est indiqué sur le site la nécessité de réserver à l'avance. La déception m'envahit avant de constater finalement que le créneau de 9 heures est disponible pour une personne.

C'est dans deux heures.

Alors, pour la première fois depuis bien longtemps sans faire preuve d'hésitation, je prends la direction du *Blue Lagoon*.

A quelques kilomètres de la source chaude, se trouve la ville de Grindavik, un port de pêche qui semble peu touristique. Pour patienter jusqu'à 9 heures, je m'installe dans un café où quelques islandais me dévisagent un instant avant de retourner à leur occupation matinale, sans se soucier de ce que je viens faire chez eux.

Pendant ce temps qui n'appartient qu'à moi, je repense, une fois de plus, à ce que j'ai quitté. Il s'agit seulement d'une histoire de quelques semaines. Pour autant, je reste peu convaincue par mon avenir et essaie de vivre en m'autorisant à ne pas me projeter. Il me faut simplement m'éloigner de mon ancienne vie, ce n'est pas si compliqué que cela. Je ne suis certainement pas la première à prendre une valise, y glisser une toute petite partie de sa vie et s'enfuir hors du pays !

Il est tout juste 9 heures lorsque je pénètre dans le bâtiment à la fois luxueux et discret. Je m'attendais à ce que la file d'attente soit impressionnante et bondée de familles impatientes de glisser leurs corps dans l'eau, mais il n'en est rien. Je suis toute seule et je me présente timidement devant l'hôtesse qui me regarde à peine.

Je lui montre mon QR code obtenu grâce au paiement en ligne et elle me glisse au poignet un bracelet bleu en plastique mou, tout en m'expliquant que celui-ci, en le scannant, me permet d'accéder à l'entrée, au vestiaire, mais permet aussi d'obtenir une boisson gratuite au bar du Lagoon.

Effectivement l'endroit semble très commercial au premier abord, mais sans trop savoir pourquoi je m'y sens plutôt à l'aise. Enfin, jusqu'à ce que je lise les pictogrammes au-dessus des douches qui indiquent que je dois me laver… nue. Je vérifie à plusieurs reprises, arpentant les couloirs entre les différentes douches, mais le dessin est clair. Les maillots ne sont pas autorisés sous la douche !

Que la douche soit obligatoire, je le conçois assez aisément, mais que l'on exige d'enlever le maillot pour se laver me renfrogne et je ne cesse de regarder autour de moi, comme si cela allait m'apporter une réponse. J'ai toujours été pudique et encore plus depuis mes moments sombres. Je n'apprécie pas mon corps, je pense que je ne le respecte pas… alors me mettre à nu, est pour moi, inenvisageable.

Pourtant, je suis aussi très respectueuse des règles, alors profitant que personne ne se trouve dans les vestiaires, je me précipite pour enlever mon maillot une pièce, me savonne à la vitesse de la lumière, et enfile mon maillot sur mon corps encore légèrement mousseux.

L'endroit a été aménagé au milieu de champs de lave, c'est si impressionnant que j'en ai les larmes aux yeux lorsque je sors du vestiaire et que je suis projetée devant cette étendue fumante.

Le cadran au-dessus de la porte indique une température extérieure de 4 degrés. Je frissonne et m'empresse de rejoindre cette eau d'un bleu indescriptible, les bras croisés fermement sur la poitrine. La vapeur sort de l'eau mais aussi des montagnes de lave environnantes. C'est surréaliste.

Ce sont mes orteils qui goûtent en premier cette eau fumante. Selon les indications, elle atteindrait les 38 à 40 degrés. Puis avec un sentiment de délice incomparable, à peine mes pieds ont le temps de s'habituer que mon corps est recouvert de ce spa géant et j'effleure le sol avec plaisir tant il est doux. A priori, de la silice. Une hôtesse en distribue également pour en faire un masque pour le visage.

Cet instant de plénitude, je voudrais le garder longtemps au fond de moi. Pouvoir enfermer ces émotions dans un bocal, et le réouvrir lorsque je suis au plus mal. J'ai rarement ressenti ce vide, ce lâcher prise et j'ai peur de m'y habituer. L'ensemble de mes membres semblent se confondre avec les légères vaguelettes créées par les quelques personnes dans le bassin géant. Contre toute attente, cette présence ne me gêne aucunement. Je suis concentrée sur les paysages qui m'entourent, sur cette sensation de chaleur qui m'envahit avec bonheur.

Je ferme les yeux et essaie de flotter, tel un ange céleste. La notion d'ange vient me frapper de réalisme et je m'efforce de penser rapidement à autre chose, sans quoi ce moment de sérénité pourrait se transformer en torrent de larmes.

Alors, péniblement, je me ressaisis et nage doucement vers le bar qui surplombe le lagon et où deux jeunes filles attendent en riant leurs clients. Boire un verre de soda, dans ce spectacle si dépaysant restera à tout jamais gravé dans ma mémoire pourtant habituée à être entachée de mauvais souvenirs.

Chapitre 9

« *Il n'est jamais trop tard pour devenir ce que tu aurais pu être* »

George Eliot

Les deux derniers jours à Reykjavik furent calmes, si je ne tiens pas compte des cauchemars nocturnes qui m'envahissent chaque fois que je ferme les yeux le soir. Si je me souviens rarement de ces derniers, les sensations sont toujours les mêmes. Celles de suffoquer et de courir dans un tunnel sombre qui ne possède aucune sortie. De ne plus sentir mes jambes et de tomber sans cesse, avec chaque fois une difficulté plus grande pour me relever. Et au loin, des cris. Des cris d'enfant saisissants qui me glacent le sang et qui font que je me réveille en sursaut, les draps imprégnés de sueur.

Dans la journée cependant, j'ai pu déambuler dans les rues paisibles de la capitale, à l'affût d'images à capturer et à rajouter sur ma carte SD. Déambuler, parce que ma démarche ne s'est jamais faite aussi lente, aussi posée. Sereine est un terme encore bien trop fort et inadapté à la situation. Je suis bien consciente que passer trois jours en Islande n'allait pas compenser ces longues dernières années de choc traumatique. Mais c'était, à mon sens, un bon début.

Je regrette presque de ne pas rester plus longtemps et de devoir quitter mon nid douillet des trois derniers jours. J'ai photographié un nombre incalculable de portes d'entrée qui se différencient par leurs couleurs. Et pendant ces heures, captivées par ces moindres détails, mon esprit ne pensait à rien d'autre.

Ce n'est que lorsque je plie bagage, le dernier soir, que l'anxiété refait surface. Subitement, en un flash, le visage de ma mère apparaît et je suis prise d'un malaise désagréable. Je m'en veux terriblement.

Comme mon mari, elle doit se demander où je me trouve et être horriblement inquiète. Mon père également, mais lui est davantage silencieux et pense tout simplement, de manière assez archaïque, qu'une femme doit rester auprès de son mari. Il ne doit pas être ravi de cette fuite à travers le pays...

J'ai toujours eu des liens très forts avec ma mère. Depuis toute petite nous nous comprenons et elle a tout fait pour m'apprendre à devenir une femme forte et indépendante. Elle doit se demander ce qu'elle a loupé pour que je sois finalement devenue tout le contraire.

Perdre mon enfant m'a coupée de tout. De la vie, et donc inévitablement de l'ensemble de mes proches. Moi seule, enfin j'en étais persuadée, pouvait comprendre toutes les étapes par lesquelles je passais.

Je me sentais insensément prise dans une injustice ou personne ne peut souffrir plus que moi sous prétexte que j'ai perdu un enfant. Il n'existe pas de mot pour décrire la blessure et la douleur ressentie dans ce type de deuil. Tous ces gens qui ne veulent que du bien mais qui prononcent des phrases dont j'avais horreur.

« *Elle aurait voulu que tu vives, de là où elle est, elle veut que tu sois heureuse* » ou encore « *Ce n'est pas dans l'ordre des choses de perdre son enfant, cela prendra du temps* ».

Je ne supportais plus les entendre. En fait, je ne supportais plus que l'on me parle. Je ne voulais pas que l'on s'adresse à moi, je voulais qu'on me laisse me replier sur moi-même, physiquement parlant. Apprivoiser de nouveau la vie, sans elle, m'était impossible.

Je ne dis pas que Stéphane n'a pas souffert. Lui aussi s'était renfermé les premiers temps, mais il n'avait pas coupé les ponts avec ses amis et sa famille. Et, inconsciemment, je lui en voulais terriblement. J'aurai voulu qu'il souffre de la même façon que moi.

Lui, arrivait à se replonger dans le travail, pendant que moi je n'étais plus que l'ombre de moi-même et les gestes du quotidien m'étaient devenus insurmontables.

Pendant ces longs mois, ma mère a tenté de m'approcher, en douceur, parfois un peu plus fermement, mais je la repoussais en permanence.

Aujourd'hui, je lui fais subir ce que j'ai vécu, elle ne sait pas ce qu'il est advenu de sa propre fille ; je suis un monstre de lui faire vivre cela. Des remords m'envahissent et je sais qu'une fois qu'ils se glissent en moi, je ne peux plus penser à autre chose.

Alors, à la première heure le lendemain matin, en reprenant la route, je décide de me servir de mon téléphone acheté à l'aéroport pour la contacter.

J'ai bien conscience du risque que je prends en l'appelant, mais je ne peux plus la laisser dans l'ignorance. Et en appelant d'un numéro privé, elle n'aura aucune idée de comment me recontacter et savoir où je suis. Il faut uniquement qu'elle sache que je vais bien, du moins que je suis en vie.

Le cœur battant, adossée dans le fauteuil de la voiture de location et fermant les yeux, j'attends, tremblante que la voix de ma mère remplace les sonneries qui me paraissent interminables.

Il y a deux heures de décalage horaire avec la France. Il doit être à peine 8 heures, mais je sais que ma mère a pour habitude de se lever tôt.

— Allo ?

— Maman ? C'est moi…

— Seigneur…

J'essaie d'imaginer son état à 2500 kilomètres de là où je me trouve. Le silence de nos voix qui s'instaure et le léger bruit de fond, me laissent à penser qu'elle doit chercher à s'asseoir pour se remettre de ses émotions et je l'imagine, les épaules avachies par la tristesse, se retenant de me hurler dessus comme si j'étais une enfant de cinq ans qui a commis une bêtise monumentale.

— Maman, désolée … je vais t'expliquer, mais avant tout je veux que tu gardes pour nous, mon appel téléphonique.

— Ma fille, tu as perdu la tête ! Te rends-tu compte dans quel état nous sommes tous depuis que tu es partie sans nous laisser un signe de vie ? Ton mari est comme fou et te cherche partout. Nous savons que tu as de quoi craquer avec ce qu'il t'est arrivé, mais nous avons toujours été là pour toi et là… je ne comprends pas !
— Maman, s'il te plait, je n'ai pas envie de me disputer avec toi, sinon je raccroche… c'est justement pour toi que je prends la peine de t'appeler, ce n'était pas prévu… mais je voulais te rassurer.

— Ce n'était pas prévu ? Mais tu comptais nous laisser sans nouvelle pendant combien de temps encore ?
Je sens que sa voix chevrote et qu'elle se retient de pleurer. Cela me fend le cœur.

— Maman, laisse-moi t'expliquer en quelques mots s'il te plait… je conçois ta peine, mais laisse-moi essayer de te faire comprendre. Crier ne va faire que nous épuiser toutes les deux et cela ne te soulagera pas pour autant.
Au vu de son silence, je prends le parti de poursuivre.

— Tu sais bien maman, que depuis quelques années je ne vais pas bien.

— On le serait à moins, perdre un enfant est terrible ma fille et j'ai toujours essayé de te soulager comme je le pouvais. C'est pour cela que tu t'es enfuie ? Je n'ai pas été assez là pour toi ?

— Tu as fait ce qu'il fallait maman, mais cela va mal, et depuis bien plus d'années que cela. Un jour je t'expliquerai, mais pas maintenant, car je ne suis pas prête. Ce que j'essaie de te dire, c'est qu'il fallait, c'était même vital, que je parte.

Pas d'interruption, je souffle et continue immédiatement, dans le même élan.

— Je ne t'ai pas informée de ma décision de partir car je sais que tu m'aurais retenue. Et en plus, je suis partie sur un coup de tête. En à peine 24 heures, j'avais pris ma décision. C'était comme une évidence, comme un besoin viscéral de m'éloigner.

— Mais tu t'es déjà tellement éloignée de nous ma chérie...

Sa voix devient plus haletante, mais plus douce. J'en profite également pour prendre un ton moins dur.

— Je sais bien maman, mais là, il s'agissait de partir loin physiquement.

— Loin ? Mais où te trouves-tu ? Tu n'es pas en France ?

Bon, dans la version personne en fuite, niveau suspens, on repassera... je venais de me griller en beauté...

— Je n'ai pas dit que je n'étais pas en France, j'ai dit qu'il fallait que je parte loin physiquement...

— Pourquoi tu ne veux pas nous dire où tu te trouves ? Je te laisserai, c'est promis, mais rassure-moi en me disant dans quelle ville tu es et où dors-tu ?

Je souris malgré moi face à l'habileté de ma mère qui tente de me prendre par les sentiments et utilise toutes les ressources qu'elle peut pour obtenir des réponses.

— Je ne peux rien te dire, c'est pour ton bien.

— Tu ne peux pas dire que c'est pour mon bien, tu ne te mets pas à ma place un seul instant ! Et que va dire Stéphane ?

Cette fois-ci, elle a repris l'énergie que je lui connais et je soupire de lassitude.

— S'il te plait maman, notre conversation doit rester secrète.

— Mais que t'arrive-t-il ? Nous ne sommes pas dans un film d'espionnage !

— Ecoute maman, assuré-je plus fermement. Je te demande, par amour pour moi, de m'écouter et de respecter ce que je te dis. Je ne le fais pas par plaisir, j'ai besoin que tu comprennes ou du moins que tu m'accordes le fait que je suis adulte et que je sais ce que je fais.

— Excuse-moi, mais ces derniers temps tu n'avais pas toute ta tête... Sans Stéphane, tu ne serais plus là...

Sa dernière phrase me tétanise quelques instants.

— Alors, je vais te laisser, tant pis, je pensais que tu pouvais m'écouter et me comprendre…

Je regrette immédiatement le couperet que je lui impose, mais la fermeté doit être ma nouvelle compagne de voyage. Je dois prendre confiance en mes choix. Et les assumer.

— Je veux bien t'écouter, soupire-t-elle, mais te comprendre pour le moment m'est impossible. Tu as besoin de prendre de la distance, très bien… et tu ne veux pas nous dire où tu te trouves. Mais comptes-tu me donner signe de vie régulièrement et me dire quand tu rentres ?

— Je t'appellerai de temps à autre si tu me promets de n'en parler à personne. Si nous ne nous disputons pas et si tu ne m'interroges pas sur l'endroit où je me trouve.

Je l'entends souffler sans avoir pris la peine de s'éloigner du micro et recule instinctivement le téléphone tant le son est désagréable.

— Très bien ma chérie, si c'est ton souhait, je ne dirai rien, pas même à ton père. De toute façon, il en serait malade. Dis-moi, comment vas-tu ?

— On fait aller. Je tente de me reconstruire. L'endroit où je suis me fait du bien et je ne pouvais pas trouver mieux, alors aie confiance en moi. Je rentrerai lorsque je me sentirai prête, mais j'ai avant tout besoin de vivre pour moi. De redécouvrir l'ensemble de mes valeurs.

Re soupir, mais différent. Plus léger.

— Très bien. Alors, je ne peux que te dire de prendre soin de toi. Et si tu penses que c'est la meilleure solution, alors je te soutiens. De tout mon cœur de maman.

Les larmes me piquent le coin des yeux.

— Merci maman. Je t'embrasse et te dis à bientôt.

— Je ne peux pas te joindre c'est ça ?

— Je t'appellerai, fais-moi confiance, répété-je.

En appuyant sur le bouton rouge qui met fin à notre conversation, un flot d'émotion s'imprègne en moi. Etonnamment, je me sens beaucoup plus légère et c'est presque avec un sourire aux commissures de mes lèvres, que je reprends la route.

Chapitre 10

« Pour pouvoir contempler un arc-en-ciel, il faut d'abord endurer la pluie »

Proverbe Chinois

Dès l'instant où je me gare devant ma nouvelle location, je ressens une force incommensurable face à ce que j'admire. J'ai peu l'habitude de ressentir ce type de sentiment. Souvent, la raison parle avant mes sens intuitifs que j'ai généralement pour habitude d'étouffer.

En descendant du véhicule, mon téléphone où est inscrit le code de la boite à clé à la main, je ne peux m'empêcher d'observer à 360 degrés le lieu où je me trouve.

Si, vivre à Guérande m'a permis d'appréhender la vie à la campagne, cela reste tout de même habiter dans une ville où, la plupart du temps, les gens m'oppressaient.

Ici, cinq chalets en bois sont espacés sur plusieurs centaines de mètres, avec derrière mon dos, une ferme plutôt rustique. Et pour le reste du décor, ... rien. Enfin si, plutôt tout...

Des étendues d'herbe jaunâtre à perte de vue et au pied d'elles, des montagnes. Pas très hautes, mais recouvertes de glaciers dont le blanc tire sur le bleu.

Impossible de ne pas trouver l'endroit immédiatement ressourçant.

Cela angoisserait certainement plus d'un, d'être isolé ainsi, mais j'ai le sentiment d'être en totale communion avec ce que j'ai besoin d'éprouver en ce moment. Du vide, de l'espace, une absence de personnes auprès desquelles je devrais me justifier.

J'accède à la rambarde du petit chalet où, à l'aide du code, je récupère rapidement une clé attachée à un porte-clé en bois en forme de baleine.

Lorsque je fais le tour pour accéder à la porte d'entrée, je découvre un spectacle encore plus époustouflant. Finalement, je ne suis pas perdue en pleine campagne, mais je me retrouve également face à un bras de mer. La vue est magnifique et je ne regrette pas un seul instant d'avoir réserver plusieurs semaines dans cet endroit paradisiaque, coupé du monde entier.

Soudain, je sursaute car quelqu'un arrive derrière moi, à peine la porte d'entrée ouverte. Un jeune homme, plutôt costaud, me fait face, un léger sourire sur le visage et une main tendue vers moi.

Je m'empresse de le saluer dans un anglais un peu timide. Il se présente comme étant le propriétaire des chalets et dans un français presque maitrisé, m'explique qu'il est à ma disposition si besoin. Il me précise que je ne risque pas d'être embêtée car à cette période de l'année, seuls deux autres chalets sont occupés. Il me montre comment utiliser la plaque électrique et je me retrouve rapidement seule, un léger sourire aux lèvres, dans ce petit studio lumineux avec des baies vitrées de toute part et cette vue splendide sur l'océan.

Manon aurait adoré cet endroit…

Pensive, je vais chercher ma valise restée dans la voiture et récupère les trois énormes sacs de courses que j'ai pris la précaution de faire avant de venir m'isoler dans ce désert de civilisation.

Manon avait cinq ans lorsque je l'ai perdue.

Lorsque nous l'avons perdue.

Stéphane et moi vivions une période assez compliquée et tendue. Lorsque Manon a disparu, il a été un vrai soutien pour moi et cela a remis en cause la séparation dans laquelle j'allais m'engager. Cela a resserré des liens spéciaux, avec cette particularité d'avoir subi tous les deux le plus grand drame de notre vie.

Je prends le temps de faire le tour du cottage pour me changer les idées et empêcher le passé et la douleur de ressurgir.

La pièce est entièrement peinte en blanc, seuls des cadres en bois ornent les murs et personnalisent l'habitation. Il y a un tout petit espace cuisine, mais avec, semblerait-il, tous les ustensiles nécessaires. Une table blanche fixée au mur qui se déplie si besoin de plus de deux couverts. Ce qui ne sera pas le cas pendant ma présence.

Ensuite, toujours encadré par de grandes baies vitrées, un espace nuit avec un matelas en hauteur d'une épaisseur qui ferait rêver tout bon dormeur. La salle de bain est minuscule et comporte un petit ballon d'eau chaude ainsi qu'un sèche serviette électrique, mais la douche à l'italienne en carrelage noir est gigantesque et prend tout l'espace.

Il y a tout de même, en face de la cuisine, un espace salon avec un canapé et une télévision murale qui incite à se reposer tout en observant l'horizon.

Tout en examinant mon nouvel environnement, je vois passer au loin, dans l'herbe haute, à quelques centaines de mètres, une silhouette. Munie d'une énorme veste et d'un bonnet, je ne sais reconnaître si la personne est un homme ou une femme, j'espère juste rester tranquille et que mes deux voisins d'à côté soient calmes et non envahissants.

Sur la petite terrasse en bois qui fait le tour du chalet, il y a un banc, tout simple, en bois également, face à la mer. Je me vois déjà prendre mon café le matin pour contempler la nature. Ce sont des émotions et des désirs nouveaux que je ne m'autorisais plus à éprouver. Et quelque part, je suis réconfortée de les ressentir aujourd'hui.

En attendant, je suis abattue de fatigue et décide de me reposer quelques instants avant de me préparer à manger et de vider mes valises. Je m'assois sur le canapé et ferme les yeux.

Sur le premier instant, je pense qu'il s'agit encore d'un cauchemar qui me fait tressaillir, mais je réalise rapidement que ce sont des coups frappés sur la baie vitrée qui m'ont fait sursauter et sortir de mon assoupissement.

Moi qui pensais être tranquille, je ne sais pas où il aurait fallu m'isoler pour n'être en contact avec personne d'autre que ma conscience.

Je frotte mes yeux et réalise qu'un homme se tient face à moi, derrière la vitre et me parle. Sauf que, forcément, je n'entends rien, vu qu'une vitre nous sépare.

La première pensée qui me vient est, heureusement que je suis habillée et non pas en petite culotte, comme je pourrais y aspirer vu la tranquillité et le peu de voisins qui se trouvent à l'horizon. Ensuite, je me demande rapidement ce que fait ce psychopathe sous la pluie à crier devant mon logement. Car le mouvement de ses lèvres semble bien indiquer de la colère !

Je me lève précipitamment car il ne semble toujours pas avoir compris que je n'entends rien de ce qu'il me hurle.

Lorsque j'ouvre la porte, son visage est projeté à seulement quelques mètres du mien et je suis rapidement saisie par son regard. Ses cheveux dégoulinent et laissent des gouttes d'eau s'écraser devant ma porte.

La colère et/ou le réflexe me fait parler en français :

— Mais vous êtes complètement fou !

— Cela fait dix minutes que je tape à votre porte, vous avez vu le temps qu'il fait dehors !

Je jette un coup d'œil derrière son épaule et constate effectivement que le ciel blanc d'avant mon assoupissement s'est transformé en une gigantesque averse.

Puis, je retourne à mon visiteur et réalise qu'il vient de me répondre également en français. Je penche la tête, perplexe devant son visage qui me rappelle vaguement quelque chose.

— Mais, vous êtes l'homme du bar ?

— L'homme du bar ? De quoi parlez-vous ? Est-ce que je peux entrer une minute, ou vous me laissez être trempé jusqu'aux os ?

Je le dévisage rapidement.

— Je crois que c'est un peu tard, vous êtes déjà trempé et vous allez salir mon intérieur !

— Salir votre intérieur ? Nan, mais je rêve ! Cela se voit que vous êtes française tiens !

— Qu'est-ce que cela signifie, que je suis une française ?

Vexée, je ne l'ai toujours pas laissé entrer et me tiens face à lui, les jambes tremblotantes démontrant mon manque d'assurance.

— Je suis votre voisin bordel, j'ai juste quelque chose à vous demander, je ne vais pas vous sauter dessus !

Gênée par ma froideur et ma méfiance des premiers instants, je me pousse légèrement afin de le laisser entrer. En même temps, il me surprend alors que je dormais, tout le monde aurait réagi de la sorte !

J'entends un murmure, mais pas suffisamment clair pour comprendre ce qu'il me dit, alors je ferme rapidement la porte et me retourne vers lui.

— Qu'avez-vous dit ?

— J'ai dit que je ne risquais pas de vous sauter dessus, vous n'êtes pas mon genre ! s'esclaffe-t-il.

— Mais, vous êtes vraiment un goujat !

Scandalisée, je bombe le torse pour m'affirmer, mais cela parvient seulement à le faire rire.

— On ne dit plus goujat depuis le 18ème siècle, continue-t-il de rire.

— Vous êtes donc venu pour critiquer mon vocabulaire ? !

Il semble se ressaisir brusquement et cesse de sourire. J'ai l'air d'avoir trouvé le moyen de le rendre moins arrogant.

— Pourquoi avez-vous dit que j'étais l'homme du bar ? se reprend-il.

— J'ai cru vous confondre avec quelqu'un, tout simplement.

— Vous êtes en Islande pour faire la tournée des bars ? Vous n'allez pas être déçue ! Dans ce coin, le bar le plus proche est à vingt minutes et les routes ne sont pas réjouissantes si vous avez un petit coup dans le nez !

— Vous êtes toujours si désagréable avec vos voisins ?

— Non, je suis tout simplement venu vous demander si vous aviez quelque chose que j'ai oublié d'acheter. Il est tard, je vous le rendrai demain.

— De quoi avez-vous besoin ? Je n'ai même pas eu le temps de défaire mes bagages, appuyé-je, toujours sur la défensive.

Il observe en même temps que moi le désordre qui règne dans la pièce et hoche la tête.

— J'ai besoin de papier toilette.

Je reste le fixer un instant, les yeux complètement écarquillés. Je me demande immédiatement s'il fait une blague, mais à sa tête légèrement gênée, je réalise qu'il semble tout à fait sérieux.

— Mais vous n'en avez pas dans votre cottage ?

— Si bien sûr, c'est pour ça que je sors en pleine tempête me faire accueillir bien gentiment par ma jolie voisine !

— Je croyais que je n'étais pas votre genre ?!

— Grrrr, rugit-il, ce que vous êtes agaçante !

Je prends peur face à son énervement soudain, mais il se radoucit immédiatement et semble me supplier en insistant. Mon regard effarouché a dû le prendre en pitié. Même les traits de son visage semblent s'adoucir.

— Je pense que les propriétaires ont tout simplement oublié cette option et j'ai bien entendu été frapper chez eux avant de venir vous importuner. Ils ne sont pas là. Et nos autres voisins non plus à priori. Vous êtes donc ma seule chance.

Naturellement, je souris face à son air désolé. Pendant quelques instants, il semble presque touchant. Je prends le temps d'observer son visage mais ce sont surtout ses yeux qui m'hypnotisent.

— Mais si, crié-je, vous êtes l'homme du bar, j'en suis certaine ! Vous me fixiez pareil que maintenant !

— Si vous étiez plus précise, je pourrais peut-être vous répondre et récupérer quelques feuilles de papier toilette pour rentrer dans mon chalet où l'ambiance y est nettement plus chaleureuse.

— Vous arrivez aujourd'hui ? Vous étiez à la capitale ces derniers jours ?

— Euh, oui madame l'enquêtrice, j'étais sur Reykjavik ces derniers jours.

— J'en étais sûre !

Je me tape la cuisse, un air de gagnante sur mon visage. Mon voisin semble interloqué.

Puis, les secondes passant, ses sourcils se froncent et il me dévisage d'un air sérieux et concentré.

— Ah, mais oui, vous êtes la petite brune qui n'arrivait pas à se décider pour prendre une photo devant l'église de Reykjavik !

Cette fois-ci, mon air glorieux s'échappe pour le remplacer par du rouge sur les joues.

— Donc, c'était bien vous, assuré-je en douceur. Par ailleurs, je ne suis pas brune, mais châtain ! appuyé-je d'un ton assuré.

— Je me rappelle effectivement de vous. Je vous ai observé un long moment, c'était assez touchant, et drôle aussi.

— En quoi étais-je drôle à vos yeux ?

Il relâche ses épaules comme s'il cherchait soudainement à apaiser les tensions entre nous.

— Ce que je veux dire, c'est que vous étiez drôle car vous cherchiez à ne pas attirer le regard, et c'est tout le contraire qui se produisait.

Sans lui répondre, je file à la salle de bain, décroche un rouleau de papier toilette de sa tige en métal et lui pose brutalement dans la main.

— Voilà cher voisin, en espérant ne plus vous recroiser, je vous souhaite une bonne nuit.

Il repousse une mèche de ses cheveux, secoue la tête et se dirige vers la porte. La pluie tombe toujours, mais moins violemment.

— Merci pour votre gentillesse, voisine. Mon fessier vous remercie bien.

Cet homme est si vulgaire ! Ce n'est pas ce type de comportement qui va me réconcilier avec la gent masculine !

Je vais pour fermer la porte derrière lui, mais il reste planté là, sans un mot, le regard perdu vers l'horizon.

— Vous vous êtes rendu compte qu'il vous manquait quoi cette fois-ci ?

— Chut, murmure-t-il.

— Comment ça chut ?! Vous êtes vraiment culotté ma parole !

— Voisine, fermez donc votre bouche une minute et regardez par là.

Il pointe du doigt quelque chose au loin. Je me penche légèrement, même si cela implique que je me rapproche de lui, et fronce les yeux. Je mets peu de temps avant de distinguer une sorte de vache qui se trouve au bord de la colline face à la mer agitée.

— J'ai des origines normandes, j'ai déjà vu des vaches, je vous remercie !

Il me fixe de nouveau, hésitant entre rire et s'énerver. Je le vois, rien qu'à son petit nez retroussé.

— Bécasse, ce sont des rennes !

— Des rennes ? Des rennes comme ceux du père Noël ?

Il soupire.

— Nan, eux sont réels, je suis navré de vous apprendre que le père Noël n'existe pas !

— Oh, vous m'avez comprise ! Poussez-vous un peu pour voir !

Je le pousse légèrement et sors sur la terrasse, les mains au-dessus des yeux pour me permettre de voir à travers la pluie.

Effectivement, maintenant que je me concentre, je réalise qu'un troupeau de rennes sauvages court se mettre à l'abri, juste devant mes yeux.

— Waouh, je ne peux m'empêcher de murmurer, c'est extraordinaire.

— Merci, je procure toujours cet effet-là.

Je lui donne un coup de coude pour le faire taire.

— Chaque année, je ne me lasse pas de ce spectacle, reprend-il sérieusement.

— Chaque année ? je l'interroge.

— Oui, je loue le chalet à côté du vôtre chaque année depuis 5 ans.

— Vous êtes journaliste ?

Devant son silence, je réalise ma question indiscrète. Pour autant, cela ne semble pas le choquer.

— Non, écrivain. Il n'y a qu'ici que je parviens à trouver l'inspiration. J'ai eu le syndrome de la page blanche il y a quelques années. Cela paraît futile comme diagnostic, mais je vous assure que pour un écrivain, c'est terrible. En découvrant ce lieu, je me suis redécouvert moi-même, et ma plume, enfin mon inspiration, est réapparue ! Bon, merci encore pour le dédommagement voisine ! Bonne nuit.

Et il repart, aussi brutalement qu'il a débarqué dans ma vie seulement quelques minutes plus tôt.

Son départ me déstabilise pendant les secondes qui suivent, puis je décide de m'activer à ranger mes affaires et me faire cuire des pâtes.

Ecrivain... Cela ne me surprend pas. Dans un tel lieu, je voudrais bien moi aussi savoir écrire, pour oublier et rédiger une autre histoire que la mienne.

Chapitre 11

« Quand tu tombes amoureux de la lune, tu arrêtes de regarder les étoiles »

Anonyme

La pluie d'hier a laissé place à un ciel mitigé avec des teintes oscillant entre le gris et le blanc. Je n'ai jamais pensé que les adages étaient vrais, cependant, celui sur les quatre saisons en une seule journée en Islande, semble véridique. D'ailleurs, toujours selon mon guide acheté à l'aéroport, il est indiqué de ne pas vraiment se fier à la météo et de toujours prévoir plusieurs couches de vêtements.

J'étais consciente que dans mes valises je n'avais pas forcément apporté des tenues adaptées. Entre l'empressement du départ et le contenu de mon dressing appauvri, le choix avait été rapide. Mais le passage dans une boutique de sport à Reykjavík m'avait permis de compenser les manques et d'investir dans deux vestes imperméables, une veste en polaire et un pantalon de pluie.

Pour le reste, je n'avais pas besoin de grand-chose. Après tout, je n'avais pas vraiment d'objectif en étant ici et encore moins celui d'être coquette.

Je devais également faire attention à mes dépenses. Comme je ne savais pas vraiment combien de temps je resterais ici, je devais veiller à ne pas me mettre en difficulté dès les premiers jours. J'étais déjà soulagée d'avoir pu ouvrir un compte bancaire à la naissance de Manon et d'avoir mis de l'argent de côté tant que je travaillais. Compte bancaire, dont moi seule en connaissait l'existence et qui me facilitait les choses aujourd'hui, me laissant libre de mes faits et gestes.

Un flashback me revient de nouveau en tête sans que je ne puisse interrompre ma pensée.

« Tu seras tellement mieux à la maison à t'occuper de Manon. Elle a besoin d'avoir sa mère à ses côtés pour s'épanouir. Tu auras bien le temps de retravailler lorsqu'elle ira à l'école ! »

À partir du moment où j'ai cessé de travailler, j'ai mis un pied dans la tombe, en me coupant de tout lien social. J'avais pensé m'épanouir auprès de ma fille, et je travaillais pour Stéphane, mais je n'étais jamais au contact d'autres personnes que ma fille et mon mari, et cela avait fini par me rendre folle. Alors quand elle a disparu, c'était la fin de mon équilibre psychique.

Il n'y a rien de pire que de perdre un enfant, mais souvent les amis, le travail, tentent de nous raccrocher à un semblant de réalité. Je ne possédais pas cela, hormis ma famille et Stéphane. J'étais comme dans un cocon de solitude et de détresse, hermétique à toute tentative de refaire surface.

Je décide de faire couler un café et profite du ronronnement de la machine pour me placer devant la baie vitrée et observer les paysages. J'effleure des doigts le long de la baie vitrée et penche la tête sur le côté.

Devant le chalet d'à côté, il n'y a pas de véhicule garé. J'imagine que mon voisin s'est levé aux aurores et est parti se promener. En tant qu'écrivain, il a certainement besoin de trouver des sources d'inspiration.

De repenser à notre contact de la veille me donne un léger frisson dans les épaules. Quelle arrogance ! Et pourtant, je ne parviens pas à m'enlever de la tête son regard perçant. Il avait l'air plutôt crétin que tueur en série, n'empêche que j'étais une femme isolée et que je devais être méfiante.

Le café coulé, je découpe un bout de pain acheté la veille, le glisse dans le grille-pain à disposition et y verse de la confiture aux framboises.

Geste banal, mais dont j'avais perdu l'habitude. Le petit déjeuner, je le préparais chaque matin, mais pas pour moi, pour Stéphane. Moi, je n'avais plus d'appétit.

Une fois tout mon attirail de petit déjeuner pris en main, je sors délicatement sur la terrasse et me pose sur le banc face à la mer.

Je n'ai pas eu l'occasion de voyager beaucoup depuis que je suis petite. Alors, me retrouver ici, seule, moi qui ai rarement été indépendante dans la vie, c'est un mélange d'euphorie, d'excitation et de peur. En y réfléchissant bien, il y a même un peu de fierté dans ce que je ressens. Légère, il fallait mesurer cela délicatement et sans précipitation, mais une petite flamme éteinte depuis des années, semblait réapparaitre. J'étais moi-même surprise de redécouvrir certaines sensations alors que je n'étais arrivée que depuis 4 jours.

Était-ce la magie de l'Islande ? Ou tout simplement le fait de vivre seule et d'être face à tout ce que j'avais repoussé jusqu'à présent ?

En observant l'horizon, j'espère revoir les rennes ce matin, mais il n'en est rien. Je retourne alors chercher la carte du pays et visualise ce que je pourrais bien faire aujourd'hui.

Ce choix d'autonomie dans le moindre de mes actes me fait frissonner. Si j'étais objective, je dirai que c'est une onde de plaisir. Pouvoir contrôler chacune de mes envies est particulièrement nouveau.

Mais en seulement quelques secondes, la fameuse euphorie ressentie il y a quelques instants, ce mélange de fierté et d'adrénaline, retombe. Et la culpabilité me saisit de nouveau.

Que suis-je venue faire ici ?

M'enterrer dans un endroit où il n'y a personne ?

Espérer voyager et aspirer à la liberté plutôt que de vivre mon deuil ?

Je soupire, m'assois sur le canapé et feuillète le guide à la recherche d'inspiration pour occuper ma journée. Les jambes collées sous mes fesses, je trépigne d'impatience de ressentir une révélation. Une page dans le secteur du sud-est retient alors mon attention. Il semblerait que je ne sois pas très loin de quelques cascades et marcher me fera assurément du bien.

Je trace un repère sur la carte à l'aide de mon index tout en repérant l'endroit où je me trouve en ce moment. Nykuhylsfoss semble la cascade la plus proche. Alors dans un seul et même élan, je décide de me ressaisir, prépare un sac à dos, y glisse ma gourde d'eau, quelques barres de céréales et referme la porte du chalet avec précaution. Tout cela en moins de cinq minutes. Une décision si rapide que mon cerveau n'a pas le temps de réfléchir à ce qui est censé ou non.

La ville à proximité du chalet se trouve à Djupivogur, à précisément quelques dizaines de kilomètres de ma location. Mais c'est dans l'autre sens que je me dirige.

La route est plutôt belle et je ne croise aucune voiture pendant de longues minutes. Le mois de mai n'est décidemment pas une période touristique et je m'en réjouis. Je n'aurais pas supporté de croiser des Français à chaque coin de rue.

Les nuages sont descendus bien plus bas que ce matin en me levant, mais il ne pleut pas et c'est l'essentiel. Je vais pouvoir marcher un peu tout en restant au sec.

Au bout d'une demi-heure, j'atteins le parking annoncé sur mon GPS. Il n'y a aucune voiture et je m'interroge sur le fait que je sois au bon endroit. Mais en sortant et en avançant un peu sur le sentier, il ne me faut pas longtemps avant d'entendre l'agitation de l'eau.

Vingt minutes plus tard, sur un chemin plutôt facile d'accès, je la vois.

Peu impressionnante en taille, elle est toutefois magnifique et le terme cascade porte bien son nom puisque l'eau jaillit sur plusieurs étages pour venir s'écraser dans un léger contrebas. Autour, des montagnes d'un vert foncé, tirant sur le marron, mettent en valeur cette chute. Je prends le temps de l'observer pendant un moment avant de décider de continuer le sentier, même si celui-ci semble grimper beaucoup plus qu'au début. Je refuse de laisser cette belle énergie qui me pénètre.

Tout en marchant, je réalise que je coupe parfois ma respiration et, rapidement, je suis forcément essoufflée. Très certainement en raison du stress.

J'ai été si peu de fois livrée à moi-même, que je me pose mille questions sur la direction à prendre alors qu'il n'y a qu'un seul chemin. Je cherche un quelconque balisage, mais il n'en est rien alors je me convaincs de faire confiance en mon instinct, et dans le pire des cas, je ferai demi-tour.

Le sentier n'est pas si difficile, et j'essaie de calquer mes pas sur ma respiration comme je l'ai vu dans des films, mais il est caillouteux et je manque de glisser à plusieurs reprises.

Arrivée sur le sommet, j'avale une énorme bouffée d'air. Une odeur de satisfaction m'envahit et je suis réellement heureuse de l'avoir fait. Petite randonnée certes, mais pour moi qui n'ai pas pratiqué de sport depuis des années, je suis plutôt fière de moi.

Je m'assois en faisant rebondir mes fesses sur l'herbe sèche qui domine un petit lac bleu turquoise.
La vallée qui m'entoure représente à elle-même un panel de décor diversifié. De l'eau, de la montagne, du blanc, du marron, du vert, du jaune et du bleu. Toute cette harmonie et ce silence m'encouragent à fermer les yeux et à m'allonger pour me remettre de mes émotions sportives.

Il semble que je me sois quelque peu assoupie car des gouttes d'eau tombent sur mon front et me sortent de mon état léthargique.

Depuis que je suis arrivée, j'ai le sentiment que mon corps me demande de rattraper tout le retard de sommeil accumulé lors de ces dernières années et j'ai honte de penser que je pourrais m'endormir n'importe où. Mais plutôt que de stresser de me retrouver sous la pluie, je me mets à rire.

Je me lève précipitamment et je crois que mon sourire ne me quitte plus pendant le reste de la descente. Limite, j'ai la sensation de voler en descendant en courant et en appuyant mes pas sur la pointe de mes orteils. Je pourrais tomber et risquer de me fouler la cheville, mais rien ne m'arrête, comme une gamine, je sautille sur les roches.

Quand j'atteins la voiture et que je m'y abrite, c'est carrément un fou rire qui me prend. Je n'ai pas ri depuis tellement de temps... Certaines personnes ont bien essayé de me faire rire, mais depuis le décès de Manon, mon visage n'a connu que des semblants de sourire.

Alors, ici, dans un coin désertique de l'Islande, les nerfs craquent et je me retrouve dans l'incapacité de me contrôler et de cesser de rire. Des spasmes me parcourent le corps sans que je ne maîtrise quoique ce soit. Je finis par me tenir le ventre tant celui-ci devient douloureux en raison des crampes et des abdominaux qui se contractent.

Avant la naissance de ma fille, j'essayais d'être sportive. J'allais courir tous les matins, c'était mon espace de liberté. Le seul moment où ma tête était au repos et ne pensait qu'à activer mes jambes. J'adorais cette sensation de transpirer, puis enfin, accéder avec jouissance à la douche après l'effort.

Puis Manon est née. Je ne suis plus partie courir tôt le matin.

Puis Manon a disparu, et je n'ai pas réussi à trouver la force de rechausser ma paire de baskets.

Je tenais à peine debout...

Lorsque j'arrive enfin au cottage, toujours le sourire aux lèvres, je m'empresse d'atteindre la porte d'entrée car la pluie ne s'est pas calmée et a même redoublé de puissance. Je grelotte le temps de chercher la clé dans mon sac à dos, mais je n'arrive pas à mettre la main dessus. Je me maudis d'être partie sans mon fameux pantalon de pluie, car mon jeans me colle à présent comme une seconde peau et laisse une sensation désagréable, me laissant en tête la folle envie de le retirer.

J'essaie de m'abriter sur la terrasse et renverse mon sac au sol, mes cheveux dégoulinent et je n'y vois presque rien, mais je constate assez vite que les clés n'y sont pas.

Je retourne alors en courant à la voiture en pestant, mais impossible de les trouver. Je fulmine contre moi-même et tente de retracer ce que j'ai bien pu en faire. Elles étaient dans mon sac, j'en suis persuadée ! Il suffit qu'elles soient tombées au sol lorsque je me suis assoupie... ce ne serait pas de chance, mais c'est quand même tout à faire mon genre. Et comme une idiote, je n'ai pas pensé à regarder derrière moi avant de partir, avec la pluie et mon fou rire de folle !

J'essaie de réfléchir le plus rapidement possible à toutes les solutions qui se présentent à moi, mais lorsque les propriétaires ne répondent pas quand je frappe à leur porte, je me retrouve seule face à moi-même, trempée et grelottante.

Dans mon malheur, une accalmie se présente et je constate que la voiture de mon voisin est devant le cottage alors, à reculons, je décide d'aller frapper chez lui.

À peine j'observe son léger sourire faire face en me voyant qu'il m'agace déjà et que je regrette d'avoir sonné chez lui.

— Ma voisine souhaite que je lui rende son rouleau de papier toilette peut-être ?

— Non, j'ai perdu mes clés, bredouillé-je.

— Votre moue est agréable à regarder, s'esclaffe-t-il. On dirait celle que j'avais hier !

Je soupire devant son air suffisant. Cependant, il m'invite à entrer d'un geste de la main et j'accepte avec plaisir pour me réchauffer.

Sans un mot, il tend un de ses bras vers moi et machinalement j'enlève mon imperméable pour le lui donner.

Il l'apporte près du radiateur du salon et me propose une tasse de thé ou un café pour me réchauffer. J'accepte la tasse de thé et jette un regard sur la pièce. Tout y est parfaitement rangé et l'endroit est absolument similaire à mon chalet. Même décoration, mêmes meubles.

Mon voisin s'est cependant approprié un coin devant la fenêtre, près du lit et semble y avoir créé un espace de travail puisque son ordinateur est allumé et des tas de notes jonchent le sol.

Toujours dans le silence, nous écoutons l'eau bouillir dans une ambiance malaisante. Puis, à mon grand soulagement, il finit par me tendre la tasse fumante.

Je décide de rompre ce moment gênant en prenant sur moi.

— Vous avez bien avancé sur votre roman ?

— Ce n'est pas vraiment un roman que j'écris, marmonne-t-il.

Ok, j'ai juste voulu faire la conversation. Son air bougon ne donne clairement pas envie que j'insiste. Cela m'apprendra à être aimable et courtoise.

Je retourne à ma tasse tout en croisant mes jambes, et me demande si je dois boire d'une traite et m'enfuir quitte à me brûler l'œsophage.

— J'écris un thriller, précise-t-il.

— Pardonnez-moi, je pensais qu'un thriller était aussi un roman. Juste un roman policier quoi.

— D'accord, vous aimez jouer sur les mots ?

— Disons que vous n'êtes pas très agréable. Et puis, c'est vous qui jouez sur les mots. De mon côté, je m'efforce juste d'être gentille.

— Moi aussi, je suis sympa, je vous offre une tasse de thé.

Il ne manquerait plus qu'il fasse un clin d'œil à chaque fin de phrase et on pourrait se croire dans un remake du *bachelor*.

Sur toute l'Islande, il a fallu que je tombe sur un Français, un homme, et un homme désagréable.

Un flash me fait soudainement penser à Stéphane, mais je préfère secouer la tête comme pour chasser ce souvenir.

Le voisin soupire bruyamment et vient s'asseoir sur le canapé, en face de moi.

— Reprenons les choses depuis le début, j'ai conscience que m'isoler en Islande tous les ans développe mon côté ours. J'avoue que cela ne me gêne pas, mais je vois bien que mon comportement vous agresse légèrement.

— Légèrement est un bien faible mot !

— Je m'appelle Fabien ! Enchanté d'être votre voisin, dit-il avec assurance en me tendant la main.

Après quelques hésitations, je la saisis poliment et lui serre la main.

— Faustine.

— Et bien voilà, nous ne sommes plus des étrangers à présent. Dites-moi, que faites-vous toute seule dans ce chalet, Faustine ? Je sais que c'est indiscret, mais honnêtement, déjà en général croiser un français ici relève de l'exception, alors une française seule... je m'interroge.

J'hésite et je cherche mes mots. J'ai pourtant répété à de nombreuses reprises mon petit scénario si cette question devait se présenter. Et là, devant son aplomb, je perds mes moyens.

— Juste un besoin de prendre l'air. Je vis des moments assez difficiles en ce moment. Je voulais couper de mon quotidien qui me renvoie à des choses pas très agréables.

Vu sa tête, il ne s'attendait clairement pas à cette réponse. Il s'attendait certainement à ce que je lui dise qu'une amie venait me rejoindre dans quelques jours, ou que mon mari était en voyage d'affaire à Reykjavik et que j'avais décidé de faire du tourisme en l'attendant.

De nouveau le silence s'installe entre nous. Il tripote l'anse de sa tasse, peut-être pour se laisser le temps de chercher des mots réconfortants. Ce qui ne doit pas être son fort. Alors je lui coupe l'herbe sous le pied en prenant la parole.

— Et vous ? Vous venez donc tous les ans ici pour écrire ?

— C'est exact, depuis cinq ans. Comme vous, au début je suis venu pour me retrouver seul. Face à mes démons. Puis, je suis tombé amoureux de ce pays.

Je déglutis difficilement. D'accord, lui aussi possède ses démons. J'ai soudainement comme une envie de baisser ma garde. Physiquement, je sens mes épaules se redresser comme pour tenter de ne rien montrer de ma fragilité.

— C'est vrai que je viens d'arriver, mais c'est assez surréaliste comme paysage. On a le sentiment d'être des invités de la nature et de ne pas vouloir la déranger. J'ai fait une randonnée aujourd'hui et c'est vraiment le sentiment que j'ai eu.

— Et encore, vous n'avez rien vu. Les paysages diffèrent selon les territoires. L'est de l'Islande est l'endroit que je préfère.

— Vous avez fait le tour de l'Islande ?

— On peut peut-être se tutoyer, non ? Vu que tu m'as prêté du papier toilette et moi offert une tasse de thé, on a passé un bon seuil dans notre relation non ?

Ce rapprochement qu'il induit me fait rougir. Je ne parviens pas à lui répondre, cherchant les mots justes pour éviter de le blesser, mais je finis par hocher la tête.

— Et tu fais quoi dans la vie, Faustine ?

Je le regarde en haussant les sourcils. Cela suffit à lui faire rajouter :

— Faut pas le prendre pour un interrogatoire, hein ! C'est juste histoire de faire la conversation.

Je laisse quelques secondes en suspens. Je suis venue ici pour m'isoler. Pour faire en sorte que l'on me laisse seule, et je me retrouve au bout de quelques jours seulement à converser avec un parfait inconnu. Inconnu que je trouve extrêmement irritant.

— Je ne fais pas grand-chose, murmuré-je. C'est pour cela que je peux me permettre de venir passer plusieurs semaines en Islande. J'ai cessé de travailler il y a plusieurs années. Mais, j'ai un diplôme dans le tourisme et j'ai longtemps été la secrétaire de mon mari qui est architecte.

Il me fixe de son regard perçant comme je commence à en avoir l'habitude. Cela me perturbe, je ne parviens pas à maintenir le regard.

— Alors, tu es mariée ? ricane-t-il, un rictus au coin des lèvres.

— Oui, soupiré-je discrètement.

Je m'empresse rapidement de changer de conversation tout en détournant la tête pour regarder à l'extérieur. Cette conversation prend une tournure qui devient malaisante.

— Je pense que les propriétaires sont revenus. Je viens de voir leur voiture se garer. Merci pour la tasse de thé.

Je me lève brusquement et lui souris avec politesse avant de me rapprocher de la porte d'entrée.

Il se lève également, semble scotché par ma décision soudaine de partir et cherche ses mots en se caressant le menton.

La main sur la poignée de porte, je l'entends parler dans mon dos.

— Demain, on peut se lever tôt et je t'emmène voir les icebergs, si cela te dit bien sûr. Ce n'est pas un rendez-vous, mais autant mettre mon expérience touristique à ton service. Cela te permettra de découvrir des coins sublimes. Enfin si tu n'as pas autre chose à faire, bien évidemment, ironise-t-il.

Le changement radical de la teneur de ses propos me surprend. Il est passé, en l'espace de quelques secondes, d'un homme aux airs sauvage à un homme qui se propose d'être mon guide touristique pour la journée !

— Tu n'es pas ici pour écrire ? demandé-je espérant éviter une réponse à sa proposition.

— Si rigole-t-il, mais je n'écris pas toute la journée. On dit 8 heures ?

— 8 heures, c'est un peu tôt, non ?

Zut. Je ne suis pas en train de me faire piéger, là ?

— Et voilà, le côté citadin reparle ! C'est la meilleure heure pour découvrir les plus beaux endroits chère voisine !

Je prononce un « ok » si faiblement que je ne suis pas certaine qu'il ait entendu, et je m'enfuis.

Stéphane avait raison. Je suis une personne faible avec peu de personnalité, à tel point que je suis incapable de refuser une proposition à laquelle je ne souhaite pourtant aucunement donner suite.

Chapitre 12

« Il n'y a rien de plus précieux en ce monde, que le sentiment d'exister pour quelqu'un »

Victor Hugo

Lorsque je sors à 7h59 de mon chalet, Fabien est déjà dehors. Adossé à sa voiture, il lace ses chaussures de randonnée. Je penche la tête vers la paire de baskets qui m'accompagne depuis mon arrivée et me questionne sur l'étendue sportive de notre randonnée.

— Tes chaussures iront très bien !

Je fais un bond et mes épaules se haussent pendant quelques secondes. Je ne l'avais pas vu venir à mes côtés.

— Je m'interrogeais justement, comme vous…, tu es bien équipé.

— Non, on va très peu marcher et cela ne grimpe pas. C'est juste que je suis plus à l'aise dans ces chaussures ! Bien dormi, voisine ?

Voisine ? Je lui ai dit mon prénom hier, il se moque de qui ? Le voilà qui redevient arrogant !

Pourquoi me suis-je infligé cette sortie avec cet homme déplaisant au possible ? Je ne parviens pas à me comprendre moi-même, mais je le suis malgré moi et monte dans sa voiture. J'accroche ma ceinture et me frotte les yeux pendant que mon voisin ferme le coffre et se glisse derrière le volant.

J'ai une soudaine sensation de suffoquer et des pensées de panique viennent m'obséder. Espérons qu'il ne soit pas un psychopathe car, dans ce cas, je me plonge totalement dans la gueule du loup. J'essaie pourtant de travailler ma méfiance, encore plus envers la gent masculine, mais pour autant, je me retrouve en tête à tête avec... lui. Et cette impression d'angoisse cumulée à l'absence de sommeil ne me rend pas pertinente dans mes choix...

— Fatiguée ? insiste-t-il en allumant le moteur de son SUV.

Je ne réponds pas et me contente de hocher la tête. Il sourit malicieusement et actionne le levier de vitesse.

Ce que je n'ose pas lui révéler, c'est qu'effectivement j'ai très mal dormi. J'ai de nouveau été envahie par des cauchemars. Sans queue ni tête, des mini scénarios qui finissent toujours dans un bain de sang. A quatre heures du matin, j'ai fini par me lever, prendre une tisane et j'ai observé la lune et les étoiles du fond de mon canapé.

À présent, les yeux me brûlent et j'ai perdu l'énergie et l'enthousiasme de la veille.

— Tu peux t'assoupir si tu le souhaites, cela ne me dérange pas. Nous avons plus de deux heures de route alors ne te gênes pas.

La douceur de ces propos contraste tellement avec son langage habituel que je le regarde, abasourdie en clignant les yeux. Mais il a repris un air concentré sur la route et ne me regarde plus. Alors, même si je suis consciente d'être impolie, je ferme les yeux et me concentre sur les odeur qui règnent dans l'habitacle grâce aux vitres légèrement entrouvertes, malgré la fraîcheur.

Ce n'est que lorsque le véhicule cesse d'émettre du bruit et que la porte du conducteur claque que j'ouvre les yeux brusquement.

— Bien dormi, la belle au bois dormant ?
Fabien vient d'ouvrir délicatement ma portière.

Je me redresse sur le fauteuil et secoue mes jambes pour les dégourdir. Je n'arrive pas à croire que j'ai dormi toute la durée du trajet, et malgré moi mes joues se mettent à rougir de honte.

— Je suis vraiment navrée, murmuré-je, la voix pâteuse.
Je prie intérieurement pour ne pas avoir ronflé ou encore avoir dormi devant lui, la bouche ouverte. Ce serait le summum de l'humiliation et je m'en passerais volontiers si je voulais éviter les sarcasmes de mon voisin.

— Il ne faut pas, pourquoi ? Si tu as dormi, c'est que tu en avais besoin. J'ai l'habitude d'être seul, je ne t'ai pas proposé cette journée pour avoir nécessairement de la conversation.

Il glisse le sac à dos sur ses épaules et j'en conclus qu'il m'attend pour partir. Le débat est clos.

— Je n'ai vraiment pas pour habitude de m'endormir en voiture, je suis sincèrement désolée.

— Hey, ça suffit de s'excuser ! J'ai dit que cela ne me faisait rien. On y go maintenant ?

Je sors du siège confortable, essuie mes mains moites sur mon pantalon, attache mes longs cheveux en queue de cheval et le suis, malgré la gêne persistante que je ressens vis-à-vis de lui.

Nous nous sommes garés sur un petit renfoncement, le long d'une route. Pour un endroit touristique, je suis surprise que nous soyons seuls et je ressens un léger stress. Mon imaginaire s'évade une fois de plus et la peur de côtoyer un tueur en série ressurgit inopinément. Je ne suis pas du genre paranoïaque, mais après tout, je ne le connais pas, et nous sommes réellement isolés.

Pour la deuxième fois depuis le début de la journée, je suis stupéfaite que Fabien lise à travers mes pensées car il prononce assez vite un discours rassurant :

— Je me suis garé un peu plus loin que le parking traditionnel spécifique aux touristes afin que l'on profite du bord de mer. C'est nettement plus sympa et nous pourrons prendre le petit déjeuner face à Diamond Beach.

— Le petit déjeuner ? Mais j'ai déjà pris un petit déjeuner ce matin ! répliqué-je une fois de plus gênée de ne pas avoir compris qu'il fallait venir à jeun.

— Alors ce sera le deuxième petit déjeuner ! Celui de 10h30, qui visuellement sera au-dessus de ton premier petit déjeuner, je te le garantis.

Réconfortée par son exaltation, je m'étonne qu'il soit passé par des évènements difficiles également, comme il l'évoquait la veille. Il semble être plutôt sûr de lui, moqueur, voir provocateur et j'admets qu'il sourit assez facilement. Tout le contraire de ce que je peux projeter aujourd'hui.

Peut-être qu'il ne s'agit seulement d'une armure ? Parfois, les personnes ont une forte capacité à ne pas révéler les blessures de leurs cœurs et restent pendant des années à côtoyer une personne en croyant tout connaitre d'elle. Lui, de son côté, n'imagine sûrement pas les raisons de ma fuite à travers l'Islande.

Nous marchons une bonne quinzaine de minutes avant d'atteindre un pont blanc où les voitures affluent beaucoup plus que ce que j'ai pu observer depuis mon arrivée en Islande.

— Cet endroit est très touristique, m'explique Fabien. Des cars de touristes arrivent par centaine l'été. Même à cette période, on peut difficilement éviter le monde. Pour autant, le paysage en vaut la peine.

Fidèle à mon humeur taiseuse, je le regarde en hochant la tête et continue d'avancer sur le même rythme. Il finit par stopper ses pas lorsque nous arrivons sur un petit banc qui se fond presque dans le décor. Situé en hauteur, la vue y est spectaculaire. Pendant que Fabien vide l'ensemble de ce qui se trouve dans son sac à dos, je reste immobile face au paysage qui s'offre à nous en toute humilité.

Le sable noir scintille grâce à la mer qui va et vient, et qui en se repliant laisse des milliards de gouttelettes s'accrocher aux grains noirs. Au bord de l'eau pour parfaire la scène, des centaines de blocs de glace s'échouent telles des roches cristallines.

— C'est pour cela que l'on appelle cette plage, la plage de diamants, justifie Fabien. Derrière nous, il y a les glaciers de Jokulsarlon. Nous irons les voir tout à l'heure. Et ce que l'on voit devant nous, ce sont les blocs de glace de ces icebergs qui se détachent, qui viennent glisser sous le pont et finissent par s'échouer sur la plage. Le sable noir les met en valeur et je n'ai jamais vu une telle chose ailleurs.

— Tu as beaucoup voyagé ? lui demandé-je, curieuse.

— Un peu. J'ai quasiment été tout le temps célibataire. Donc sans attaches, c'est plus simple d'aller où bon me semble. L'Islande, elle, me saisit par sa beauté si humble. Des paysages lunaires comme on en trouve ici, je n'en ai vu nulle part ailleurs. Même aux États-Unis, où les étendues sont incroyables mais tellement immenses. Ici, tout me maintient dans un cocon enveloppant et c'est ce que j'aime.

Tout en discutant, Fabien a versé le café qu'il a transporté dans un thermos et me tend un gobelet. Puis, il ouvre une brioche dont il découpe une tranche avec un canif et me tend également un morceau.

Je le remercie d'un sourire crispé et tout en nous réchauffant, nous restons face à ces blocs de diamants. Sans en être vraiment consciente, un flot d'émotion me saisit subitement et des larmes ruissèlent sur mon visage, en silence.

J'ai appris à pleurer en silence. Ou du moins, la vie m'a démontré que c'était possible. Je ne l'aurais jamais cru avant. Toujours être mutique face à la souffrance. La vie m'a enseigné que j'avais tout à y gagner. Fabien a certainement vu mes larmes, mais par délicatesse, il ne dit rien et je n'ose les essuyer pour ne pas me faire remarquer davantage.

Une fois notre petit déjeuner avalé, il propose de descendre sur le sable pour observer les blocs de plus près. Alors, sans réfléchir, je meurs d'envie d'être en contact avec ces grains noirs et comme une attraction terrestre, je retire mes baskets.

Et pendant que je marche, pieds nus, délicatement sur le sable, slalomant entre les goélands et les blocs de glace, je laisse mon esprit s'évader. J'ai rapidement les pieds gelés mais je me retiens de les glisser dans les chaussures que je tiens à la main, car j'ai envie de ressentir cette sensation humide qui me fait comprendre à quel point je suis vivante.

Fabien m'a emprunté mon appareil photo et tente différentes approches. Je ne sais pas pourquoi, mais de le voir avec cet appareil entre les mains, objet qui est le plus précieux en ce moment dans ma vie, me détend. Et même, assez rapidement, je me moque de lui et éclate de rire lorsqu'il s'allonge sur le sol mouillé et qu'il doit se relever en quatrième vitesse car une vague va submerger l'emplacement où il se trouve.

Il revient vers moi en riant et me redonne mon reflex.

— Pas simple effectivement de faire des bonnes prises de vue, il y a tellement de boutons pour les réglages que ce n'est pas mon truc. De nos jours, un téléphone portable suffit bien pour prendre des belles photos, non ?

— C'est tout un art que je ne maitrise pas vraiment encore. Mais je ne sais pas, en arrivant ici, je me suis dit que j'avais toujours voulu faire de la photo, alors je me suis lancée. Il y a seulement 4 jours. J'ai d'énormes choses à apprendre, je ne suis rendue qu'à la page 67 de la notice d'utilisation, mais j'ai à cœur de maitriser ce bel outil qui me procure un bien fou lorsque je suis derrière l'objectif.

— Je suis peu sensible à l'art en fait, mais c'est vrai que ces paysages aspirent à être figés afin de les ancrer dans nos esprits quand nous sommes loin d'ici, affirme-t-il en montrant de l'index sa tête. Je serai ravi de voir tes clichés.

Je penche la tête sur mon épaule et cligne les yeux pour l'observer, puis souris de nouveau.

Je respire profondément cet air qui n'a pas d'autre odeur que d'être légèrement iodé. Le sel est plus prégnant en Bretagne. J'y ai pourtant très peu de souvenirs. Je me rappelle avoir séjourné dans le Finistère l'été, avec mes parents, lorsque j'étais toute jeune. Je me souviens de peu de choses, mais cet air salé avait marqué mes narines.

Ici, c'est plus discret, en l'occurrence, j'ai le sentiment que tout cet air pur pénètre directement dans mes poumons et m'injecte de la vie. Finalement, ce n'était pas une si mauvaise idée d'accompagner mon voisin. Car nous n'avions pas suffisamment de lien pour se forcer à se parler, ni à faire en sorte de faire plaisir à l'autre.

Nous marchons en silence, Fabien m'expliquant de temps à autre l'histoire de ce que nous observons, en toute simplicité. Mis de côté nos accrochages des premiers instants, nous calquons notre inspiration, chacun selon nos priorités du moment.

Lorsque nous cessons notre marche, je reste figée, droite face à ce que j'observe. Le spectacle des icebergs, derrière la plage de Diamond Beach, restera marqué à jamais dans ma mémoire. Rangé dans les bons souvenirs. Avec celui du *Blue Lagoon*. Je n'ai jamais vu une chose plus saisissante.

— Tu sais que des films ont été tournés ici ? Certains morceaux de glace datent de près de 1000 ans ! s'exclame Fabien avec l'enthousiasme d'un gamin.

— Comment c'est possible toutes ces couleurs ? je m'étonne, le souffle coupé.

Je suis scotchée devant tant de beauté. Et ce n'est pas de l'exagération. Je n'ai jamais rien vu d'aussi beau. J'ai bien conscience qu'il existe de multiples tons de bleu, mais là, cela n'a rien à avoir avec les échantillons que l'on trouve dans les rayons de peinture. Et j'ignorais également qu'il pouvait y avoir des différents degrés de blancs.

J'ai l'honneur d'assister à un tableau vivant qui fait tomber mon enveloppe corporelle qui était hermétique à tout sentiment de bien-être jusque-là.

Ces montagnes de glace sont spectaculaires. Le bleu translucide si profond qui se dessine entre chaque faille me saisit et me donne des frissons sur l'ensemble de mon corps.

Une main effleure mon épaule et je me retourne vers Fabien espérant lui faire comprendre que je le remercie sincèrement de m'avoir emmenée ici aujourd'hui afin de me permettre de vivre cet instant fééérique.

— Tout va bien ? me questionne-t-il avec une voix douce.

Comme pour la énième fois de la journée, je hoche la tête, incapable de prononcer un seul mot. Dans le genre potiche, je suis parfaite et Fabien doit vraiment me prendre pour une nouille.

Mais son air d'homme provocateur semble l'avoir quitté depuis quelques heures. Alors, hypocrisie ou non, peu importe, je veux juste profiter de ce décor magique.

— Tu restes ancrée dans le sol, ou tu veux que l'on marche un peu à la recherche de...

— Un phoque ! crié-je en me plaquant la main contre la bouche.

— De phoques…, j'allais justement te le proposer… rigole-t-il.

Mes yeux sont écarquillés à tel point que j'ai peur de ne plus pouvoir cligner des yeux. La femme de presque quarante ans que je suis n'est plus là. Mon âme d'enfant fait fondre littéralement mon armure de guerrière face à ces mammifères marins qui plongent devant mes yeux, dans la banquise.

Toujours dans un silence à la fois profond et euphorisant, je suis Fabien qui s'est mis à longer le bord de la lagune, tout en ne quittant pas des yeux les phoques qui sont, à présent, une dizaine à plonger.

Si nous sommes entourés de glace, je ne ressens pas le froid. Bien au contraire, je retire mon bonnet prise d'une bouffée de chaleur avec toutes les couches de vêtements que je me suis infligées avant de venir.

Mes cheveux châtains se mettent alors à virevolter autour de mon visage et je dois repousser les longues mèches qui viennent couvrir mes yeux avec la brise légère.

Je surprends le regard de mon voisin qui détourne rapidement les yeux. La balade se poursuit dans le calme et la magie de l'instant. Ce n'est que lorsque nous remontons dans le véhicule que je pousse un énorme soupir lié à l'émotion mais aussi à la fatigue physique que je n'ai plus ressentie depuis longtemps.

La fatigue nerveuse, le manque de sommeil, le stress… tous ces sentiments n'ont pas les mêmes effets que ce que je viens de vivre et pourtant je me sens tout aussi vidée d'énergie.

— Alors heureuse ? interroge Fabien en s'installant derrière le volant, les mains chargées d'emballages alimentaires.

Il a voulu à tout prix tester les sandwichs à la langoustine vendus sur le parking de la lagune glaciaire. Un peu sceptique face à cet attrait touristique mais aussi parce que je n'avais pas vraiment faim, je n'ai pas été tentée. Mais Fabien a insisté et je me retrouve donc à mordre dans ce pain gras débordant de sauce.

Surprise, c'est un régal ! Les langoustines sont fraiches, la sauce délicieuse et le pain chaud fondant. Les mains pleines de sauce, je ferme les yeux pour savourer davantage ce tout petit sandwich.

Fabien m'adresse un clin d'œil en disant qu'il avait raison et nous reprenons la route.

— Comme il n'est pas tard, je te propose de terminer la journée en allant à la plage de Reynisfjara. Sauf si tu es pressée de rentrer bien évidemment.

J'hésite un peu. Je suis gênée de profiter de ce guide touristique improvisé et ne veux pas abuser de sa patience.

— C'est quoi comme plage ? demandé-je prudemment.

— Une plage de sable noir avec des orgues basaltiques magnifiques.

— Ok, allons-y alors ! Je profite de cette journée, demain je te laisserai à l'écriture de ton… roman !

— Ha ha, madame insiste et fait de l'humour.

La radio islandaise nous anime en douceur jusqu'à l'arrivée de cette splendide plage. Moins impressionnante que les icebergs, elle n'en reste pas moins époustouflante avec cette roche noire sous forme de pic écorché qui sort de l'océan.

Epuisée par la journée, je m'assois sur le sable, y plonge ma main et ferme les yeux pour mieux en ressentir les aspérités. Je me laisse bercer par le bruit de la mer et reste ainsi pendant de longues minutes, ignorant où se trouve Fabien et si même je suis observée. Je laisse aller mon corps au charme de cette sauvage nature qui me saisit des pieds jusqu'à la colonne vertébrale.

Un cri d'enfant me fait sursauter et rouvrir les yeux dans le même instant.

— Maman !

Terrifiée, je regarde subitement autour de moi pour découvrir qui vient de m'appeler maman.

Mon sang se glace si soudainement que j'ai peur de me statufier. Et je retombe comme une poupée de chiffon lorsque je découvre que cette phrase ne m'était pas destinée.

J'observe cette jolie petite fille courir dans les bras de sa mère qui hurle de joie. Je me sens instantanément brisée à l'intérieur. Dénuée de tout sens d'exister.

Je sursaute de nouveau quand Fabien m'interpelle pour me sortir de ma torpeur.

— Faustine, tout va bien ?

Son visage me fixe intensément et parait inquiet. Je fixe ses iris noirs qui m'hypnotisent, et pour la première fois de la journée, je secoue la tête, me lève précipitamment et cours à mon tour, sans savoir où j'avance.

La difficulté de courir dans le sable se faite vite ressentir, mais je ne perçois plus de douleur physique. Le mental a de nouveau pris le relais en termes de souffrance.

J'entends Fabien crier mon nom, mais je ne veux plus m'arrêter, je veux courir jusqu'à l'épuisement total, jusqu'à m'effondrer… en fait, jusqu'à mourir.

Chapitre 13

« L'amour est comme le vent, nous ne savons pas d'où il vient »

Honoré de Balzac

« Tu crois que je vais te regarder t'enfoncer combien de temps encore comme ça ? Tu ne sors plus, ta mère me demande, non…, elle me supplie de t'aider ! Sauf qu'il faut que tu y mettes du tien ! Comment veux-tu que l'on s'en sorte si tu ne fais aucun effort ? Tu crois que je ne souffre pas ? Tu passes tes journées à pleurer au fond de ton lit pendant que moi je bosse ! ».

Ces propos s'étaient clos par une porte claquée et je m'étais effondrée une nouvelle fois, enfouissant la tête dans l'oreiller de ma fille. Toutes ces sensations vécues il y a cinq ans sont comme une empreinte si fraiche que je ressens encore la douleur et l'odeur de la chambre de ma fille.

Comment avais-je pu croire un seul instant qu'il était possible de surmonter la mort de son enfant ? Stéphane ne m'avait pas comprise, il pensait que je maîtriserais cela comme une femme forte. Mais le trou béant dans ma poitrine ne faisait que s'agrandir au fur et à mesure que les jours s'écoulaient.

Je ne veux pas oublier ma fille, c'est de toute façon impossible. Mais je voudrais tellement, le temps de quelques minutes, atténuer cette douleur oppressante. Fuir le contact avec les petites filles de l'âge de Manon était devenu un automatisme. Alors, revoir cette enfant ici, à des milliers de kilomètres de chez moi, m'avait provoqué un électrochoc et un sentiment de culpabilité immense.

Je cesse ma course, non pas parce que je suis à bout de force, car je ne suis plus en état de le mesurer, mais parce la roche me barre le chemin et que la seule façon d'avancer est d'affronter les vagues immenses qui claquent contre l'énorme pierre noire.

Je tente de reprendre ma respiration, ma poitrine se soulève bruyamment. Puis, je lève les yeux au ciel quand je réalise qu'il pleut et que je vais rapidement être trempée ! Mais pendant que je reprends mon souffle et que l'eau vient ruisseler sur mon visage, je ne ressens plus le froid, ni l'humidité. Je reste les yeux en l'air comme attendant une réponse qui ne viendra jamais.

C'était une belle journée... mais la réalité m'avait frappée de plein fouet. Aucune des thérapies suivies, aucun des livres lus sur le deuil d'un enfant, ne me fera reprendre ma vie en main.

Je sais pourtant que Manon serait fière de moi si elle savait que j'ai quitté le domicile pour tenter de me reconstruire. Elle était si petite... mais je suis persuadée qu'elle voudrait que je sois heureuse. Ma princesse, la lumière de ma vie… Le manque est si intense et si insupportable…

Les larmes salées se mélangent à l'eau de pluie et je reste là, droite face à la roche noire, haletant encore pour reprendre mon souffle.

— Faustine, crie une voix derrière moi.

Je n'ai pas envie de me retourner. Je ne sais comment expliquer à Fabien mon élan de panique. J'ai terriblement peur de devoir chercher de fausses excuses et de faire comme si tout allait bien.

Alors quand il arrive à ma hauteur, je m'effondre dans ses bras, ne maîtrisant plus les sanglots que je contenais jusqu'à présent.

Sans un mot, il se contente de me recevoir contre son torse et de poser délicatement sa main sur mon dos. Je ne sais pas combien de temps cette scène perdure. Je sais juste que j'ai une grande capacité de larmes et que je peux tenir longtemps…

On dit souvent qu'avec le temps, notre organisme ne peut plus produire de larmes. C'est faux. Toute ma vie je crois, je pourrais pleurer la mort de ma fille.

Puis, réalisant que je suis dans les bras d'un homme, je me ressaisis et recule brusquement en m'excusant, les yeux emplis de panique.

Je suis étonnée de ne pas découvrir de la pitié dans les yeux de Fabien, ni de la colère ou encore de la curiosité. J'y aperçois juste du respect, et de la douceur.

— Il y a un café sur le parking. Allons nous mettre au chaud, tu es entièrement trempée.

Nous sommes attablés dans ce petit café où seuls trois serveurs discutent avec entrain. Il n'y a pas d'autres clients que nous. Le temps les aura sans doute fait fuir.

Je retire ma veste imperméable et l'accroche au bout de la banquette pour tenter de la faire sécher. Puis, j'entoure mes mains autour du café allongé que Fabien m'a commandé pour me réchauffer, même si je ne parviens pas à calmer mes tremblements.

Fabien n'a toujours pas prononcé un mot. Il se contente d'alterner son regard entre moi et l'horizon.

— Je suis désolée de ma réaction. Tu as dû trouver cela étrange, parviens-je à dire la voix chevrotante.
Il me regarde en souriant.

— Légèrement bizarre, c'est vrai. Mais après tout, on se connaît peu. Le principal est que tu te sentes mieux ! En tout cas, ce n'est pas la peine d'être désolée ! Prends le temps de te réchauffer, la journée a été épuisante, je le conçois.

Il a pris un ton plutôt paternel et rassurant. Lors de notre première rencontre, j'avais discerné un homme rustre, fier et arrogant. Aujourd'hui, il me surprenait. Si son attitude amenait cependant de la méfiance, ses propos semblaient sincères.

J'avale le café qui me brûle immédiatement l'œsophage et je cherche à calmer mes tremblements en respirant tout doucement. Mon pantalon est imprégné d'humidité et je suis saisie par le froid maintenant que les sensations réapparaissent et que mon cerveau revient à la réalité.

J'essaie de capter le regard de Fabien, mais comme les battements de mon cœur ne parviennent pas à se calmer, je finis par lâcher ce qui me pèse sur la poitrine depuis tellement de temps que peu m'importe de savoir si Fabien est prêt à recevoir mes confidences.

— Je ne me sentirai jamais mieux... enfin, je ne pourrai jamais effacer ces cicatrices qui m'ont poussée à courir tout à l'heure. Mon esprit et mon corps ont légèrement décompensé...

Il porte son verre à ses lèvres et se contente de me fixer profondément, attendant peut-être une suite à mes révélations.

— J'ai perdu ma fille, il y a cinq ans, prononcé-je avec l'impression de lâcher une bombe.

Alors, son verre repose bruyamment sur la table en bois, manquant de peu de glisser sur le rebord et de percuter le sol.

Chapitre 14

« Le bonheur est parfois caché dans l'inconnu »

Victor Hugo

— Manon était une petite fille souriante, pleine de vie, comme tous les enfants de son âge. Elle est décédée lorsqu'elle avait cinq ans.

— Je suis navrée Faustine, je ne savais pas… se désole Fabien.

— Tu ne pouvais pas savoir, évoqué-je en décrochant un léger sourire figé. Et surtout ne sois pas désolé, c'est pour tout cela que je n'en parle jamais, justement pour éviter que les gens soient désolés. Je n'ai aucune envie, ni la force de subir la pitié des gens.

— C'est pour cela que tu es ici ? Je veux dire, tu as tout quitté en France pour tenter de vivre ton deuil ?

— Cela ne date pas d'hier… Elle est morte il y a presque cinq ans… mais pour autant, je ne suis pas apaisée et j'avais besoin de savoir si ma vie pouvait se poursuivre sans elle… ou pas. Le choix de l'Islande s'est fait totalement par hasard. Ce pays me semblait l'idéal pour tenter d'oublier ma douleur, et surtout ne plus être confrontée aux gens.

Je suis gênée, à la fois de me confier ainsi et à la fois de ne pas être totalement honnête avec lui. Mais je ne peux pas tout évoquer, et puis, d'ailleurs, il n'y a aucun intérêt.

Mes joues ont rosi par l'embarras de la situation. J'ai débloqué ces mots en l'espace de si peu de temps alors que face à un psychologue, j'avais mis des siècles.

— C'est terrible, souffle Fabien. Je n'ai pas vraiment de mot, je ne m'y attendais pas. Je me doutais bien que tu cachais quelque chose, mais pas une chose aussi… difficile. Ton mari vit comment le décès de votre fille ?

Je plonge les yeux sur mes genoux, fixant un point inexistant pour me concentrer.

— Il est malheureux bien entendu, même si nous ne vivons pas sa mort de la même façon.

— Il sait que tu es ici ?

— Non, crié-je soudainement. Personne ne le sait, Fabien. Je compte sur toi, vu que rien ne nous lie, pour que tu n'en parles à personne.

— À qui veux-tu que j'en parle ? J'imagine qu'il doit être mort d'inquiétude. Je me mets juste à sa place.

— Je lui ai laissé un mot. J'ai besoin de vivre un peu pour moi, c'est si compliqué à comprendre ? commencé-je à m'emporter.

— Tu as raison, cela ne me regarde pas. Si tu as besoin de parler de ta fille, n'hésite pas. Je n'ai pas d'enfant, mais je comprends ce que tu peux ressentir. Perdre quelqu'un que l'on aime est ce qu'il y a de pire dans une vie.

Je le dévisage en haussant les sourcils, interpellée par sa dernière phrase, mais je ne parviens pas à intercepter son regard qui est planté de nouveau vers le parking. A-t-il perdu quelqu'un lui aussi ?

— Elle s'est noyée, lancé-je brutalement, alors qu'il ne m'avait rien demandé.

C'est comme si je n'avais plus de filtre et que tout ce que j'avais enfoui pendant ces années avait besoin de ressortir ici, dans ce bar, face à un inconnu.

Je tourne la cuillère au fond de ma tasse, fixe le fond noir et, sans lever la tête, lui dévoile cette histoire que j'ai raconté dans le détail, uniquement deux fois dans ma vie : à ma mère et à la police.

— Manon était partie avec son père pour aller pêcher. Elle adorait ça et le lien entre eux deux était fusionnel. Cela faisait partie de leur plaisir en commun. Du haut de ses cinq ans, elle voulait le suivre partout où il allait. Ce jour-là, un dimanche, j'avais décidé de les laisser partir tôt pour qu'ils puissent partager ce moment entre père et fille. De mon côté, j'avais pris le temps de ranger sa chambre et même de m'assoir pour lire un peu. Pas une seule seconde je ne me suis inquiétée. C'était une matinée comme il y en avait eu tant d'autres, je n'avais aucune raison de me faire un mauvais film. J'étais tranquillement en train de lire un livre pendant que ma petite fille se noyait. Je n'ai même pas été capable de ressentir au fond de mes tripes qu'elle avait besoin de moi...

Je retiens un sanglot qui fait vibrer mes cordes vocales, souffle un peu et poursuis.

— Stéphane est rentré en milieu de matinée. Cela faisait environ trois heures qu'ils étaient partis, donc entendre la porte d'entrée ne m'a pas surprise. Lorsque je me suis retournée vers lui, m'attendant à accueillir le récit enthousiaste de ma princesse, Stéphane avait le visage complètement défait et de l'eau dégoulinait sur le carrelage de notre entrée. Je n'oublierai jamais cette image... Sûrement l'instinct maternel. J'ai tout de suite compris. Je me suis effondrée et lorsque j'ai repris conscience, la police et un médecin étaient auprès de moi.

Je reprends ma respiration et ferme les yeux.

— C'est terrible Faustine.

Fabien approche sa main de la mienne, mais je la retire brusquement.

— Le temps que Stéphane actionne le moteur du bateau car il n'y avait pas assez de vent pour rentrer... elle a basculé dans le vide... et lorsqu'il s'en est aperçu, elle était déjà sous l'eau. Malgré le fait qu'il ait plongé instantanément pour la chercher, il ne l'a pas trouvée.

— Comment survivre à cela… Je comprends ton besoin de s'évader et d'entrer en communion avec la nature, car elle seule peut apaiser tes blessures, j'en suis persuadé.

Je me ressaisis et secoue les épaules comme pour me sortir de mon récit désastreux qui n'est rien d'autre que ma vie.

— Mais je ne t'ai pas raconté cela pour que l'on en parle. Maintenant, tu comprends juste ma réaction.

Je me referme de nouveau et à mon tour, détourne le regard pour fixer un point dans le vide.

À mon ton, Fabien semble avoir compris que ce thème est clos et qu'il vaut mieux aborder autre chose. Pour autant, ni l'un ni l'autre, ne trouvons un autre sujet de conversation et nous rentrons au chalet dans le calme absolu. Ma tête adossée légèrement contre la vitre, je regarde les paysages défiler aussi vite que je voudrais être rentrée et ne me réveiller que cent ans plus tard.

Les deux jours suivants, pas de voisin en vue. Je dois l'avoir dégoûté de tout contact avec moi. En même temps dans le genre, un coup potiche et un coup dépressive, j'ai conscience que l'on fait mieux comme compagnie. Et puis, après tout, il ne me doit rien ! Nous ne sommes pas partis en vacances ensemble ! Je n'ai rien à attendre de lui, il avait déjà été bien gentil d'être mon épaule pour pleurer, hier ! D'ailleurs, pourquoi je m'énerve intérieurement ? Essayais-je de me convaincre que cela ne me touche pas qu'il ne prenne pas de mes nouvelles ?

Car pourtant, je me surprends à l'attendre. À plusieurs reprises de la journée, je regarde dans la direction de son chalet et espère qu'il vienne me réclamer du sel, ou même du papier toilette. Mais, même si sa voiture reste garée devant chez lui, aucun signe de sa part.

Je rumine en me disant que je devrais pourtant avoir compris la leçon de ne plus faire confiance à personne, mais cela n'apaise pas cette amertume qui perdure au fond de la gorge. C'est plutôt surprenant car si le premier contact avait été fort désagréable, cela ne m'avait pas refroidie.

Son charme n'y était peut-être pas pour rien. Il avait un air mystérieux avec ses cheveux en bataille et son regard brun empli de malice et de provocation. L'homme rebelle par excellence ! Pourtant, la lucidité me faisait dire que ce n'était pas du tout mon type d'homme, si tant soit peu j'en possédais un.

Je me retrouve à tourner mon alliance avec mon pouce, comme pour ne pas oublier que je suis une femme mariée, puis soupire et me remets à marcher en long et en large dans la pièce principale. D'avoir évoqué la mort de Manon n'a pas ravivé ce terrible souvenir, puisqu'il ne s'est jamais effacé, mais cela conscientise les étapes par lesquelles je suis passée malgré moi et le film de ces dernières années défile dans mon esprit nébuleux.

Aujourd'hui, je suis suffisamment responsable pour réaliser que je n'ai pas eu le temps de laisser place à la colère qui fait pourtant partie de l'acceptation. Tous les thérapeutes diraient que cette étape est indispensable et qu'elle intervient au début du deuil. Pour autant, j'avais dû l'étouffer au plus profond de mon être. Et, j'ai maintenant l'impression que tout mon corps bouillonne et qu'il faut que cela sorte !

Alors ces derniers jours, j'ai marché, marché et encore marché. Je n'ai jamais vraiment pris plaisir à marcher sans réel objectif. Sauf qu'ici, c'était l'endroit parfait pour être en communion avec la nature où ici, elle a tous les droits. Ne penser à rien d'autre que de regarder autour de moi et respirer la pureté de l'environnement. Et malgré cette colère émergente que j'éprouvais, j'étais plutôt fière de moi.

Tout d'abord, d'être partie seule, sans tenir compte de mes proches. C'était bien la première fois que je me le permettais. Après, ce n'était pas non plus une grosse aventure en soi, je restais sur les sentiers battus et ne m'approchais pas des bords de précipices. J'avais toujours sur moi une bouteille d'eau et une barre de céréale, bref, rien qui s'apparente à une grosse prise de risque. Pour autant, ceux qui me connaissent trouveraient réellement cela extraordinaire.

J'étais en Islande, seule pour la première fois de ma vie et je tentais de découvrir ce qui se cachait au fond de la femme que j'étais devenue, avec tout ce qui a pu jalonner mon existence.

J'ai rappelé ma mère hier. Elle était clairement angoissée et je pense que Stéphane fait pression pour qu'elle lui confie quoi que ce soit me concernant. Heureusement, elle ne sait rien. Du moins, uniquement que je vais bien et c'est amplement suffisant pour le moment. Je ne suis pas très à l'aise à l'idée de maintenir encore mon jardin secret. Chaque fois qu'elle soupire, je me retiens de tout lui dévoiler... La sentir torturée me culpabilise.

Hier, elle m'a parlé de Manon. Elle se doute que mon départ est en lien avec son décès, et tant mieux. Cela évite qu'elle ne cherche une autre raison. Je n'ai pas besoin de m'inquiéter pour elle. C'est d'ailleurs très rare qu'elle aborde le sujet de ma fille car elle craint les réactions que cela peut provoquer chez moi. Par l'intermédiaire du téléphone, sans voir mon visage se décomposer, ma mère se sent peut-être plus forte pour crever l'abcès. Il faut dire qu'à l'évocation de son prénom les douze premiers mois, je m'effondrais. Pas de simples sanglots et de larmes si chaudes qu'elles creusaient mes pommettes. Non, de réels cris d'animaux empreints d'une atroce souffrance.

Nous sommes le quatrième jour sans avoir eu de nouvelles de Fabien. Lorsqu'il frappe à ma porte, il est 7h30 du matin. Les cheveux complètement ébouriffés et les yeux à peine ouverts, je lui ouvre la porte et le regarde, les yeux ronds.

Surprise de le voir devant moi au bout de tant de temps de silence et à cette heure si matinale, je penche la tête et croise les bras sur ma poitrine, attendant qu'il s'exprime.

— Bonjour Faustine ! Tu vas bien ?

Je prends quelques secondes avant de lui répondre, regardant par la même occasion derrière son épaule pour savoir s'il est seul. En même temps, qui aurait bien pu l'accompagner ?

— C'est un peu étrange de venir me demander si je vais bien à cette heure alors que je ne t'ai pas vu depuis plusieurs jours.

Je regrette aussitôt mes derniers mots. Il va me prendre pour une fille totalement possessive qui a compté les heures depuis nos derniers échanges ! D'ailleurs sa répartie ne manque pas :

— Je ne savais pas que tu m'avais définitivement embauché pour être ton guide attitré !

Je frotte mon œil droit et lisse mon visage pour enlever les marques de sommeil, légèrement agacée de sa répartie. Fabien en profite pour me bousculer légèrement, entrer et s'adosser contre la cuisinette. Il porte un sweat bleu marine qui met son teint en valeur et sans que mon esprit ne se contrôle, je le trouve particulièrement beau aujourd'hui. Rien que le fait d'avoir cette pensée, je sens mes joues rougir et m'empresse de détourner la tête.

— J'ai écrit cinq chapitres depuis trois jours. C'est comme si les mots glissaient sur mon écran. Un truc incroyable qui ne m'était pas arrivé depuis longtemps. Et pour la première fois, j'ai mon plan bien tracé dans la tête, je brûle de retourner écrire pour coucher tous les mots qui se bousculent.

Il est si enthousiaste que cela me fait sourire et je regrette immédiatement d'avoir été si égoïste.

— Et c'est pour cela que tu viens me voir à cette heure ?

— Bien sûr que non, mais j'apprécierais des encouragements car j'ai été coupé du monde pendant plus de 72 heures et j'avoue que le contact humain m'avait presque manqué !

Je ne sais pas vraiment pourquoi, mais j'aime le fait qu'il ne me reparle ni de ma fille, ni de ce qui s'est passé à la plage de Reynisfjara.

— Je veux bien écouter les joies de tes talents d'écrivain, mais franchement je serai bien restée dormir... je me suis endormie super tard.

— Ok, c'est vrai que cela fait un peu « à ma disposition », mais je veux t'emmener voir quelque chose et honnêtement, aujourd'hui c'est la météo idéale !

— Et cela ne peut pas attendre quelques heures ?

Je croise les bras sur ma poitrine, un air légèrement fâché qui me rend peu crédible car en réalité, je suis hyper contente qu'il soit là et qu'il me propose une nouvelle journée en sa compagnie !

— En fait, je t'avoue que je n'ai pas regardé l'heure avant de frapper à ta porte, j'ai très peu dormi ces derniers jours et je suis un peu déphasé, mais je ressens que c'est le bon moment !

— Mais, le bon moment pour quoi ?

Tout en m'irritant gentiment de son suspens, je réalise soudainement que je me trouve en petite tenue devant lui. Le genre de tenue que l'on porte pour dormir parce qu'on est seule dans son lit et que la principale fonction de cette tenue est d'être confortable ! Et c'est forcément dans ce moment de gêne que Fabien vient me dévisager des pieds jusqu'à la tête. Plutôt que de détourner l'attention, pour éviter de me mettre mal à l'aise, il en profite pour bien accentuer son regard.

— C'est mignon tout ça ! Un mélange de short hyper sexy assorti à un haut que tu as acheté dans une boutique pour adolescentes ?

En rougissant (une fois de plus), je recule peu à peu dans ma chambre et lui balance au passage le coussin du canapé.

— Tu débarques dans mon chalet pour me sortir du lit et me juger sur ma tenue qui est une tenue de nuit, je te le rappelle ! Et comme je dors seule dans mon lit, je n'ai aucun compte à rendre à qui que ce soit !

Il hausse les sourcils et déclenche un de ses sourires provocateurs qui le rend presque séduisant. Puis, il balaie l'air de la pièce à l'aide de sa main, me faisant comprendre qu'il souhaite passer à autre chose.

— Allez, habille-toi, je nous prépare un café, on décolle dans 10 minutes.

Cela coupe toute explication supplémentaire !

Chapitre 15

« Le secret du bonheur ce n'est pas d'être aveugle, mais de savoir fermer les yeux quand il le faut »

Simone Signoret

Bêtement et légèrement soumise, ou complètement idiote, je file à la salle de bain pour me préparer. Pendant que j'enfile un jeans, un tee-shirt blanc et une veste épaisse, j'entends le café couler dans la cuisinette et prends le temps d'humer cette odeur qui se dégage et qui, la plupart du temps, suffit à me redonner un coup de fouet le matin.

Pendant les mois suivants la mort de Manon, je suis restée prostrée sous ma couette, écoutant Stéphane se lever pour aller travailler. Incapable de poser le moindre pied au sol, je pouvais restée sans bouger pendant des heures. Sans même qu'un de mes membres ne se déplace. Il fallait qu'une crampe me saisisse pour que j'ose enfin me mouvoir, tout en restant cachée dans mes draps.

Je suis consciente que cela ne devait pas être simple pour Stéphane, mais à cette époque là j'étais incapable de penser à autre chose qu'au souvenir de Manon. Je tentais de refaire le film de sa courte vie, de respirer l'odeur de ses vêtements que je n'avais pas touchés depuis son départ. De me rappeler son sourire et la douceur de ses cheveux lorsque je les brossais tout en chantant avec elle. Je passais la plupart de mon sinistre temps dans sa chambre que j'avais souhaité laisser inchangée.

Et un jour, cette odeur de café. Ma mère était venue passer quelques jours à la maison et ce matin-là, elle s'était préparé un café. Je ne sais pas comment l'expliquer, mais cette odeur m'avait fait me lever. Pour la première fois depuis des mois, j'avais posé le pied par terre, enfilé un peignoir et m'étais traînée jusqu'à la cuisine, les yeux gonflés et bouffis par les larmes.

Je me souviens que j'avais des vertiges et que je peinais à me déplacer mais que cette odeur forte d'arabica me guidait jusqu'à ma mère. En me voyant, elle s'était effondrée dans mes bras et m'avais rattrapé lorsque j'avais failli m'écrouler sur le sol.

Cinq années se sont écoulées. Cette odeur me ramène à la fois à ces moments terribles par lesquels je suis passée mais aussi, plus positivement, à la première étape de cette reconstruction.

Lorsque je sors de la salle de bain, j'ai de nouveau le droit à un examen visuel de la part de Fabien. Cette fois-ci, il se contente de hocher la tête et de me tendre une tasse. Je cherche une répartie dans mon esprit un peu nébuleux, mais je capitule faute d'inspiration et avale rapidement le liquide chaud qui me procure instantanément du bien-être.

Ce n'est que dans la voiture, que je me permets d'insister et que j'interpelle de nouveau Fabien pour lui demander où il compte nous conduire.

— Borgarfjörður eystri ! s'exclame-t-il.

— Je n'ai rien compris, Bor quoi ?

— Je t'amène à l'est de l'île, assure Fabien, fier de lui.

— Nous n'y sommes pas déjà ?

— Pas totalement, nous nous dirigeons encore plus à l'est ! Au fait, tu n'as pas peur en voiture ? me demande t-il en fronçant les sourcils.

— Tu commences à m'inquiéter, peux-tu me dire ce qu'il en est exactement ?

— C'est une surprise, donc non, je ne peux rien te dire. Je te demande juste si tu as la trouille en voiture ?

— Et bien écoute, non, à la base je n'ai pas peur, mais je voudrais bien rester en vie tout de même.

— C'est une bonne nouvelle alors ! affirme-t-il en exécutant un clin d'œil bien digne de lui.

Cette fois-ci, je ne ferme pas les yeux pendant le trajet. Il faut dire que ses propos ne m'ont pas rassuré alors je préfère guetter le moindre danger qui pourrait se présenter sur la route.

La première demi-heure, il n'y a aucun obstacle extraordinaire et je m'interroge sur le fait que Fabien ait simplement voulu m'impressionner. Puis, un virage à droite, une rue qui monte et un panneau triangulaire avec un dessin, dont je ne comprends pas bien le sens, m'indique que nous allons changer d'itinéraire et que celui-ci va peut-être être moins routinier.

Je jette un coup d'œil vers mon conducteur qui plisse à présent les yeux et qui repositionne son dos sur le fauteuil tout en rabattant le pare-soleil. Se sentant observé, il décide de rompre le silence.

— Je sais que ce n'est pas forcément un sujet que tu souhaites aborder, mais je voulais te dire que tu as tout mon soutien et mon écoute, si tu le souhaites. Concernant ce qui est arrivé à ta fille.

Un spasme me saisit et je m'efforce de conserver la même apparence, plutôt détendue depuis ce matin. Mais je sens que, malgré moi, les traits de mon visage se crispent. Je parviens uniquement à murmurer un :

— Je te remercie. On ne se connaît pas et je ne sais pas pourquoi je me suis confiée à toi, mais peu importe, c'est fait. Il est hors de question que tu me serves de thérapie. J'ai assez donné à ce niveau-là et cela n'a pas été vraiment concluant jusqu'à présent.

Je détourne la tête vers la vitre mais une secousse dans la voiture me fait me rattraper à la boîte à gants.

— Désolé. A partir de maintenant, la route est beaucoup moins belle. Je dirais même qu'on va prendre notre temps si l'on ne veut pas être secoués comme des citrons.

Je ne réponds pas et me contente de le fixer. Je voudrais lui dire que ce n'est pas vraiment l'expression adaptée et que l'on dit « pressés comme des citrons », mais je me retiens de l'évoquer et reste l'observer. C'est très étrange ce qu'il se passe. Je peine à réaliser que ma vie a pris une toute autre tournure depuis que j'ai posé les pieds sur le sol Islandais. J'ai l'impression ne plus être la même personne et pourtant une partie de moi voudrait être restée alitée à me morfondre sur la mort de mon enfant et à culpabiliser le reste de mes jours.

Je me retrouve ici, en compagnie d'un homme que je n'aurais jamais approché en France et mariée à un autre homme qui doit bouillir de ne pas avoir de mes nouvelles.

Et ce qui est le plus difficile à admettre, c'est que j'aime ce que je commence à ressentir. Cette lumière positive qui me pénètre à l'intérieur.

— Tu as bien attaché ta ceinture ? se rassure Fabien. Je vérifie et acquiesce d'un hochement de tête.

La route est vraiment chaotique et les vibrations des secousses remplissent la voiture d'un vrombissement peu rassurant. Nous longeons une rivière pendant plusieurs kilomètres jusqu'à son embouchure avant de gravir une montagne. Le sommet offre une vue imprenable sur la vallée et sur le fleuve qui se jette dans la mer de Norvège en un joli camaïeu de couleurs.

Ma main s'accroche à la poignée au-dessus de la vitre et je maintiens le regard à l'horizon comme pour soutenir la concentration de Fabien et le prévenir d'un danger potentiel.

— Il y en a pour une bonne vingtaine de minutes ainsi, mais je t'assure que ça vaut le coup.

— Tu ne veux toujours pas me dire où tu nous emmènes, je suppose. Tu y es déjà allé ?

— Des dizaines de fois, sourit-il.

— C'est mieux que les icebergs ?

— Tout dépend de ce que tu aimes dans la vie.

Ces mots restent suspendus dans l'air quand j'en comprends le sens. Qu'est-ce que j'aime dans la vie après tout ? Peu de choses en fin de compte…

— Ma fille, prononcé-je sans réaliser que je l'avais dit à voix haute.

Fabien tourne alors la tête vers moi le temps de quelques secondes.

— Je comprends. Mais ça c'est hors compétition ! Je suis persuadé que tu as d'autres choses qui te tiennent en vie à l'heure actuelle ! Parle-moi d'elle, demande-t-il après une once d'hésitation.

— De Manon ? interrogé-je surprise.

— Oui, dis-moi comment était-elle ? Je suis certain qu'elle était aussi belle que sa maman.

Je ne sais pas si c'est sa question ou son allusion qui fait que mon cœur bat plus fort. C'est la première fois depuis des années que l'on me fait un compliment, même si c'était plutôt subtil. Et c'est la première fois depuis cinq ans que l'on me demande de parler de ma fille. Souvent, c'est un sujet tabou ou alors, je ne me suis jamais vraiment autorisée à évoquer sa mémoire. Peut-être pour conserver rien que pour moi les souvenirs de ce qu'elle était et permettre que cela ne s'efface pas... Pour autant, je réalise que cela ne me libère de rien et j'ai soudain l'envie de parler d'elle, que Fabien puisse savoir à quel point c'était une enfant merveilleuse.

Alors, je parle, pendant de longues minutes, prenant à peine le temps de reprendre ma respiration. Je la décris physiquement, j'évoque nos moments de rire lorsque nous allions au parc toutes les deux, ou alors lorsque nous étions simplement à la maison, pendant que Stéphane était au travail. Des parties de cache-cache aux batailles de mousse dans le bain... je décris le moindre fait qui me vient à l'esprit sur l'instant, sans même me demander si cela intéresse Fabien.

D'ailleurs, je le regarde à peine, je ferme souvent les yeux, pour améliorer l'image de son visage, les contours de son sourire, ses yeux plissés de malice...

Quand je reprends mon souffle, ma poitrine se soulève exagérément et je suis hors d'haleine. Alors, seulement, je prends le temps d'observer Fabien qui a toujours le regard fixé sur la route. Devant mon silence, il me regarde en souriant.

— Elle devait être merveilleuse ! J'ai l'impression de la connaître à présent. Je te remercie de ta confiance.

— C'est fou, je n'ai jamais parlé d'elle ainsi depuis sa disparition.

— Cela te fait du bien ?

— Oui beaucoup, soupiré-je.

Je m'adosse confortablement sur le siège, tout en continuant de m'accrocher à la poignée, mais mon corps est détendu et je me sens étrangement apaisée.

— Nous arrivons ! s'exclame Fabien.

La magie des souvenirs se rompt. Je me redresse pour observer le paysage à travers le pare-brise et le constat me déçoit presque. Un petit parking mi- gravillons, mi-béton et seulement trois voitures y sont garées. Il est tout de suite évident pour moi que nous ne sommes pas sur un grand monument touristique, sinon nous ne serions pas si isolés et si peu nombreux.

En sortant de la voiture, à l'odeur, je devine tout de suite l'air iodé et cherche du regard la mer qui, selon mon instinct, ne doit pas être loin. Fabien traverse et avance vers l'autre côté du parking et c'est seulement lorsque nous sommes en haut d'un escalier que je l'aperçois.

En plus de l'océan d'une couleur bleu-gris, un minuscule petit port de pêche se tient en contrebas. Des bateaux de pêche en bois multicolores y sont amarrés. De première apparence, les flotteurs sont plutôt bien entretenus et les couleurs vives ressortent dans le paysage. Similaire à une toile en aquarelle, je reste stupéfaite par cette beauté naturelle, protégée de la civilisation.

Dans le ciel, planent des goélands qui hurlent leur fameux cri en raillant. Et au fond du paysage, une espèce de colline vert mousse et des montagnes totalement enneigées. Ces différents contrastes rendent le décor quasi irréel.

Je descends délicatement en vérifiant où je pose mes pieds, essayant de détacher mes yeux de ce panorama pour ne pas risquer de chuter de vingt marches.

— C'est un port de pêche ? m'enquiers-je.
Fabien me tend la main pour la dernière marche avant de me répondre, tout en regardant au loin. Sa main est fraîche. Je regrette de ne pas avoir mis de gants pour éviter d'entrer en contact avec sa peau.

— Oui. Mais même si celui-ci est très mignon comme tu peux l'observer, je ne t'emmène pas ici pour visiter le port de pêche.

Je fronce les yeux, curieuse de savoir où il veut en venir. J'ai beau regarder autour de moi, ce paysage de carte postale aspire beaucoup de sérénité, mais je ne vois rien de particulier à y faire puisqu'il ne semble pas y avoir d'autre possibilité de découverte, hormis la mer. Je croise les doigts pour qu'il n'ait pas improvisé un tour en bateau. Un autre escalier mène sur le rocher dominant le port de Borgarfjörður et c'est là que Fabien semble me conduire.

Je m'apprête à lui demander de nouveau ce que nous cherchons, mais il me fait signe de me taire en pointant son index sur sa bouche. Pendant que je gravis ces quelques marches en bois qui tournent plutôt brusquement, je me surprends à baisser la tête car des oiseaux approchent légèrement de ma chevelure. Fabien appuie légèrement sur mon épaule pour m'inviter à m'agenouiller et mon corps suit le mouvement docilement.

— Ici, c'est le paradis des macareux, chuchote-t-il.

— Des macareux ?

Je fronce les yeux, cherchant à comprendre ce que sont des macareux. Je n'ai jamais entendu ce terme jusqu'à présent. Il me montre alors, à seulement quelques mètres de nous, un oiseau tout petit et si mignon que je pousse un petit cri aigu tout en lui broyant la main. Cette sorte de pingouin minuscule possède un bec orange, jaune et noir, des pattes palmées oranges et des yeux rouges qui semblent tristes quand on les observe de près. Immédiatement, je tombe amoureuse de ces petits êtres volants, qui sont partout : sur la terre, dans les airs, dans l'eau…

— Cet endroit est le plus bel endroit de l'île à mon sens. C'est ici qu'on peut les observer de plus près. Regarde, ceux qui sont au sol là juste devant nous ! Ils protègent le nid en se positionnant devant.

Je reste bouche bée et pendant qu'il règne une ambiance de bout du monde je décide de m'asseoir au sol de la plateforme en bois où je glisse mon regard entre les rambardes pour permettre de les observer sous toutes les coutures.

— Mais comment se fait-il qu'il n'y ait personne pour les observer ? Cela devrait attirer tout un lot de touristes, non ?

— Pas vraiment. Ici, seuls les islandais qui ont confié leur secret savent que c'est ici le paradis des macareux. La plupart du temps, ces oiseaux vivent à la surface de l'océan. Ils ne regagnent la terre ferme uniquement pour se reproduire, pondre, couver leurs œufs, et élever leurs petits jusqu'à ce qu'ils volent de leurs propres ailes. Cela dure en général de juin à septembre, mais à Borgarfjörður on peut généralement les observer à partir de mai. Il y a beaucoup d'autres endroits inscrits dans les guides de voyage afin de les observer, mais on peut rarement être aussi près.

— C'est extraordinaire ! Je pourrais rester les observer pendant des heures. Ils sont si mignons ! On dirait des peluches vivantes !

— Cela tombe bien, nous avons tout notre temps ! s'enthousiasme Fabien.

Pendant qu'il prononce cette phrase, je le sens glisser plus près de moi, tentant un rapprochement physique évident et cela me met aussitôt très mal à l'aise. Une bouffée de chaleur envahit mes joues déjà rougies par le froid et je fais tout pour éviter son regard. En essayant de ne pas le vexer, je recule légèrement en décalant mes fesses sur le sol. Ma discrétion est un échec car je perçois dans son regard l'incompréhension. Attendait-t-il quelque chose de moi, souhaitait-il me réellement me toucher ou était-ce uniquement un geste maladroit ? Je m'en veux d'être aussi naïve et de n'avoir jamais eu de flair avec les hommes. En même temps, il a peut-être juste voulu bouger ses jambes. Mon cerveau est en ébullition, alors autant clarifier les choses le plus rapidement possible.

— Je suis désolée Fabien, je ne pensais pas... je ne sais pas si... mais... enfin.

Bravo. Mes propos étaient nettement plus clairs à présent...

— Ne te fatigue pas Faustine, je voulais juste être amical en te tenant la main. Je trouve cela super de te voir t'émerveiller ainsi. C'est tout ! Pas d'autres plan à l'horizon ! Je t'ai dit que tu n'étais pas mon style, non ?

Sur l'instant, je ne sais pas du tout si ses propos peuvent vraiment me rassurer, mais je retourne à ma belle occupation qui est d'observer la démarche drôle et chancelante de ces êtres si extraordinaires et je tente de faire abstraction des dernières secondes. Même si une gêne évidente ne peut s'empêcher de flotter au-dessus de nous malgré nos explications particulièrement floues.

En parallèle, je ne peux m'empêcher de penser à Manon qui, j'en suis persuadée, aurait adoré voir ce spectacle. Mon cœur se serre lorsque je réfléchis au fait que je prends du plaisir à être là, sans elle... C'est quelque chose que je n'ai jamais vraiment accepté jusqu'à présent.

Comment peut-on réussir à revivre de belles émotions quand notre enfant repose dans un cercueil froid à six pieds sous terre ?

Comment accepter de sourire, d'avoir un quotidien normal lorsqu'il nous manque une partie de nous ?

Je ne peux pas dire que les nombreux psychiatres qui m'ont accompagnée n'ont servi à rien. Je sais à quel point cela peut être bénéfique dans le parcours de reconstruction d'une personne. Mais dans mon cas, leurs paroles glissaient tellement sur moi que je n'en prenais pas cas. J'étais hermétique à leurs conseils et à leur écoute. Une paroi en verre s'était édifiée entre eux et moi. C'est seulement maintenant que je réalise que le déclic ne pouvait qu'uniquement venir de moi.

J'essaie de me lever péniblement en déliant mes jambes engourdies et m'accroche à la rambarde pour me faciliter la tâche, toujours en évitant les yeux de Fabien.

Nous continuons une bonne demi-heure notre observation, arpentant d'un pas lent la petite plateforme en bois, puis Fabien propose d'aller boire un café ou un chocolat chaud. Je l'interroge du regard, surprise qu'il y ait de quoi se réchauffer ici, mais effectivement, sous le parking, un petit espace restauration a pris place pour les quelques personnes qui s'aventurent ici.

La vue est superbe puisque l'on peut y voir l'observatoire des macareux et le petit port de pêche si pittoresque. Je commande un latte macchiato, ma boisson préférée du temps où ma fille était encore en vie. Je réalise d'ailleurs que je me suis rarement arrêtée boire un café quelque part depuis sa disparition. Avant, toutes les deux, à la sortie de l'école, je lui offrais un verre de jus d'orange en terrasse aux beaux jours et nous passions un moment de calme et de complicité.

Ce simple geste du quotidien, le fait de boire un café, était devenu complètement désuet et inutile à mon sens. Pourtant, en cet instant, c'est comme si les cellules de mon corps se reproduisaient peu à peu et m'envoyaient de légers signaux de bien-être.

C'est plus fort que moi, face à l'océan, au chaud, les mains entourant ma tasse brûlante et écoutant le silence avec uniquement un léger bruit de fond, je m'éveille. Je réalise que ces dernières années je ne m'écoutais plus.

Mon attention s'était focalisée sur ma fille, puis sur son départ... C'était important que je m'accroche à elle quand elle est née.

Et lorsque je l'ai perdue, je n'avais plus rien d'autre qui pouvait compter.

Chapitre 16

« La vraie vie est si souvent celle que l'on ne vit pas »

Oscar Wilde

Je sens que Fabien est ailleurs. Nous avons à peine échangé quelques mots depuis que nous sommes assis. Son regard est planté vers l'horizon et je ne parviens pas à savoir ce qu'il observe réellement. J'espère simplement que ce n'est pas lié au fait que je l'ai repoussé qui le tracasse.

Alors, pendant ce moment silencieux, je prends le temps de le dévisager, discrètement, tout en remuant le sucre dans mon latte qui a dû fondre depuis un moment. Je suis assez mal à l'aise depuis ce moment étrange sur le grand rocher, face aux macareux. J'ai bien conscience qu'il n'y a pas de quoi se rendre malade, qu'il a juste voulu se rapprocher de moi, mais je suis à la fois déçue et tétanisée.

Depuis que je l'ai vu pour la première fois, je réalise que je ne l'ai pas vraiment observé. Je me suis contentée de le considérer comme le voisin lourd et désagréable, puis, les jours suivants, un voisin finalement assez sympa qui me sert de guide touristique.

Et dans cet instant, pendant que je l'observe timidement, mes joues sont brulantes. Je me surprends à contempler les traits de son visage que je trouve à la fois doux et écorchés. Jusque-là, je n'avais pas vu que ses iris marron comportaient des pépites dorées. Ni qu'il avait un grain de beauté en-dessous de l'œil. De légères ridules entourent sa bouche et démontrent qu'il a dû beaucoup sourire dans sa vie.

— Alors ? Les macareux, tu as aimé ?

Je tressaille, légèrement surprise qu'il rompe le silence et par la même occasion, la divagation de mon esprit, ou plutôt de mes hormones qui semblent avoir pris le dessus sur la raison ces dernières minutes.

— C'était super ! Merci beaucoup. Pendant ce temps je n'ai pensé à rien d'autre qu'à ces petits êtres si mignons et si drôles.

J'essaie de me ressaisir et de faire face, mais je doute que Fabien n'ait pas perçu mon malaise. Je me sens vraiment godiche. Comme si j'avais quinze ans et que je me retrouvais seule face à un homme pour la première fois.

— Je ne sais pas comment tu fais…

— Pour quoi ?

— Je te trouve super forte… perdre ta fille… venir ici… il faut une sacrée dose de courage. À la fois je t'envie et je t'admire.

Je suis surprise de ses propos sérieux qui me ramènent subitement sur terre. Il m'a peu démontré cette facette depuis que je le connais.

— Je ne crois pas être courageuse... je n'ai pas eu vraiment le choix... c'était le moment... sinon je serais morte.

Un silence s'installe de nouveau entre nous le temps de quelques secondes.

— Je t'ai dit qu'il y a quelques années, j'ai perdu l'inspiration et que je me suis retrouvé ici, en Islande ?

— Oui, murmuré-je en restant le fixer, lui qui n'a toujours pas quitté l'horizon.

— En fait, j'ai perdu ma sœur jumelle. Comme toi, il y a cinq ans, j'ai vécu un drame... À l'époque un éditeur m'avait signé et j'avais de bonnes chances de vendre un best-seller. Certains producteurs étaient même intéressés pour en faire un scénario. Mais la vie en a décidé autrement...

Je cesse brutalement de tripoter ma cuillère tout en ne le quittant pas des yeux.

— Que s'est-il passé ? j'ose demander en douceur.

Je ne parviens pas à calmer le rythme de mon cœur qui s'est soudainement mis à palpiter, surprise de sa révélation.

— J'ai toujours été très proche de ma sœur. Cela peut paraitre classique puisque nous étions jumeaux. Mais sans pour autant être fusionnels car nous avions chacun notre vie. Pour autant, dès la moindre occasion où nous pouvions nous voir, nous le faisions. Contrairement à moi, elle avait une vie plutôt bien rangée, un mari, un enfant… Puis un soir, il y a un cinq ans, j'ai reçu un appel de la police m'annonçant qu'on avait retrouvé le corps de ma sœur dans la Seine.

Il s'arrête pour reprendre son souffle. Je peux presque sentir son haleine tant sa respiration est devenue plus intense. Je reste suspendue à la suite, aux mots qui vont franchir ses lèvres, à l'explication du drame qui a frappé sa vie à lui aussi.

— La police a classé le dossier sans suite. Était-elle tombée en glissant, ou avait-elle mis fin à ses jours ? En fait, ils n'ont pas vraiment cherché. Pour eux, c'était certainement un suicide ou un accident.

— Je suis vraiment désolée, Fabien.

— Elle ne s'est pas suicidée… j'en suis persuadé. Tout allait bien dans sa vie, elle n'aurait jamais laissé son petit garçon. À priori, selon eux, cela ne se passait pas si bien que cela. Mais je sais qu'elle n'aurait pas abandonné son enfant.

— Je comprends… jamais je n'aurais pu laisser ma fille… mais parfois on croit connaître quelqu'un et on ignore à quel point sa vie n'est que souffrance.

— Je l'aurais senti. Dans tous mes sens, j'aurais perçu si elle allait si mal… Aujourd'hui, leur vie est détruite… son mari, son fils… et tout cela à cause de moi.

Je hausse les sourcils et lâche ma cuillère.

— Comment ça ?

— Elle avait rendez-vous avec moi ce soir-là. On devait organiser les vacances d'été. On passait toujours une semaine chez nos parents, tous ensemble. Nous avions l'habitude de se caler ensemble, autour d'un repas au restaurant. Je n'ai pas pu la rejoindre car mon éditeur m'avait mis la pression pour que je termine mes cinq premiers chapitres pour le lendemain. Elle a donc décidé de sortir avec des copines. En rentrant chez elle, elle est tombée dans la seine… il faisait noir à l'endroit où elle se trouvait, il n'y avait aucun éclairage de ville. Ni aucune caméra de surveillance. J'ai écrit à la mairie depuis, tu parles, tout le monde s'en fout.

Il prend une gorgée de café et humidifie ses lèvres en y passant sa langue.

— Si j'avais été là, près d'elle ce soir-là, ce ne serait pas arrivé…

— Tu ne peux pas dire que c'est de ta faute…, prononcé-je béatement.

Puis, réfléchissant aux mots que je viens de formuler, je ne peux m'empêcher de rajouter.

— En même temps, je te comprends tellement. Je m'en suis toujours voulu d'avoir laissé Manon partir avec son père… Pourtant tous les deux, nous n'y pouvons rien. J'ai mis énormément d'années à le comprendre et parfois je culpabilise encore, mais je sais que je ne suis pas responsable de l'accident qui s'est produit. Comme tu n'es pas responsable non plus pour ta sœur.

Nous restons, une nouvelle fois, silencieux. Cette enclume qui pèse sur nos épaules est à la fois lourde et douloureuse. Mais moins lourde que si nous étions seuls. Mon esprit s'évade quelques instants et je souris.

— Qu'est-ce qui te fait sourire ?

— Rien de vraiment drôle, c'est surtout très étrange.

— De quoi ?

— Nous sommes là tous les deux, à des milliers kilomètres de chez nous, et nous avons perdu tous les deux les êtres auxquels nous tenions le plus au monde… Et tu sais ce qu'il y a de plus étrange encore ?

— Non, vas-y dis-moi !

— Ils sont tous les deux morts par noyade… Je ne crois pas au destin ou aux signes. Cela fait des années d'ailleurs que je ne crois plus en grand-chose. Mais cela me trouble… nos histoires semblent si similaires… Comment es-tu parvenu à te reconstruire ? Tu sembles tellement bien… Je cherche mes mots pour ne pas le blesser. Tu sembles si bien dans ta peau que je voudrais les clés qui t'ont mené à cette résilience.

Il soupire de nouveau.

— Cela m'a demandé tellement de temps... et je te cache les phases par lesquelles je suis passé. Venir en Islande m'a sauvé, j'en suis persuadé. C'est exactement ce dont j'avais besoin à ce moment-là. Mais c'est surtout pour son fils que c'est dur.

— Quel âge a-t-il ?

— Il va avoir 11 ans. Je ne le vois plus. Depuis, le lien avec son père est devenu compliqué. Il m'en veut, c'est certain. Et je le comprends. Difficile de faire encore parti de leur vie après cela.

Fabien redresse alors ses épaules ainsi que son dos et place son torse en avant dans un bref élan de dynamisme.

— Mais le travail sur moi fait que je me sens mieux. L'écriture a été à la fois un enfer car quand je ne parvenais pas à formuler ne serait-ce qu'un seul paragraphe, elle me ramenait à ma douleur. Puis, au fil du temps, elle s'est avérée être une réelle échappatoire.

Je reste une fois de plus le dévisager, attendrie par ce que cet homme a traversé. Puis, je jette un œil autour de moi. J'ai l'impression que nous sommes là depuis des heures. Le dialogue animé des vendeuses qui préparent les boissons a cessé. On entend davantage le bruit de la vaisselle. Le temps est suspendu dans cette atmosphère qui semble irréelle par notre rencontre à tous les deux. Comment croire que nous nous retrouvons tous les deux face à notre destin à des milliers de kilomètres de la France ? Il avait juste suffi que nous louons au même endroit...

— Il est peut-être temps d'y aller ? demandé-je craintivement, ne souhaitant pas mettre fin à sa confession intime.

— Oui, tu as raison, il est temps de se bouger un peu.

En même temps qu'il prononce ces mots, il attrape sa veste pliée sur la chaise et prend à peine le temps de me regarder, le regard perdu dans le vide. Je ne comprends que trop... évoquer le drame qu'il a subi est encore trop douloureux, même s'il possède une apparence plutôt franche et robuste. C'est assez surprenant, mais de le voir ainsi me donne un peu de force. J'ai presque envie de le soutenir et de me montrer à l'écoute alors que moi-même je ne suis qu'une épave de douleur.

Chapitre 17

« Peu importe ce qu'on pourra vous dire, les mots et les idées peuvent changer le monde »

Robin Williams

Comme tous les matins, mes paupières s'ouvrent naturellement lorsque la lumière du jour inonde la pièce, les rideaux n'étant pas suffisamment occultants pour prolonger ma nuit. Nuits qui se sont nettement améliorées depuis quelques temps. Elles sont moins entrecoupées et moins peuplées de cauchemars. Certainement l'air Islandais !

Quand j'ouvre les yeux et que je m'étire dans mon grand lit encore chaud et moelleux, je sais que j'entame ma sixième semaine en Islande. J'ai pu échanger avec le propriétaire ces derniers temps et je sais qu'il a besoin que je me positionne rapidement pour la suite de la location ou non.

Et lorsque je me lève, j'ai la sensation de savoir ce que je dois faire et pense être convaincue par le fait de prolonger mon séjour. J'en ai la trouille mais je ne vois pas comment faire autrement. Je suis à dix mille lieux de me projeter dans la vie que j'avais avant. Et je sais que je me mettrais de nouveau en danger.

Ma mère se fait de plus en plus pressante au téléphone. Stéphane a découvert que nous avions des échanges et il peut parfois débarquer chez elle, espérant tomber sur une de nos conversations téléphoniques. Pourtant, hier, lors de notre appel quasi quotidien où nous parlons à la fois de tout et de rien, ma mère ne m'a pas demandé quand j'allais rentrer. C'est la première fois depuis quinze jours qu'elle ne me pose pas cette question et cela m'a interpellée.

Dans quelques jours, nous arriverons au moins de juillet et les touristes vont se faire de plus en plus nombreux. Les locations sont alors très demandées, je ne peux pas bloquer le chalet éternellement sans avoir une projection plus longue.

Alors, ce matin, je me prépare rapidement, comme si une chose vitale en dépendait. Il faut que j'aille voir le propriétaire et que je lui demande si je peux rester pour le mois de juillet. Cela me laissera un peu plus d'un mois devant moi.

Et puis après… après il faudra bien que je rentre et que j'affronte la vérité de mon ancien quotidien. De son côté, Fabien m'a dit qu'il partait à la fin de l'été puisqu'il a rendez-vous avec son éditeur, début septembre. Chaque année, il revient en France pour repartir en Islande l'année suivante, fin avril.

D'imaginer nos routes se séparer engendre un énorme nœud dans mon estomac. Pourtant, nous nous connaissons seulement depuis quelques semaines, mais quelque chose s'est lié entre nous. Quelque chose qui se situe entre le respect, la taquinerie et l'amitié. Et puis, un lien lié à nos histoires personnelles qui, finalement, est indescriptible.

À peine revenue dans mon chalet, ravie que le propriétaire ait accepté de me garder, la porte s'ouvre derrière moi. Je me retourne mais je n'ai pas besoin de deviner qui me fait face. C'est devenu une habitude de débarquer à n'importe quel moment de la journée. L'agacement a laissé place à l'amusement de mon côté.

— Tu sais Fabien, tu pourrais prendre le temps de frapper. Je te rappelle que ton chalet est celui d'à côté.

— Oui, oui pardon, salut Faustine ! J'ai une idée et je t'embarque avec moi.

Il m'attrape par la main, une onde électrique s'empare de moi et je tente de la dégager de la sienne.

— Quelle mouche t'a piqué ce matin ? Vas-tu cesser de tourner autour de moi comme un fou ? Qu'est ce que c'est que cette histoire de m'embarquer quelque part ?

— J'ai loué une chambre d'hôtel à Seydisjfördur !

— Quoi ? Tu t'en vas ?

J'essaie de capter son regard mais il continue de me tourner autour, puis va dans ma chambre et ressort quelques instants plus tard avec ma valise.

— Mais qu'est-ce que tu fais ? Je ne te permets pas de fouiller dans mes affaires !

— Oh arrête, ne fais pas cet air de sainte nitouche, j'ai déjà vu des soutiens gorge !

Je le frappe au niveau de l'épaule et lui arrache ma valise des mains.

— Je ne bouge pas tant que tu ne t'es pas calmé ! Fabien, on dirait que tu es sous amphétamines !

Il éclate de rire et reprend ses allers-retours dans la petite surface qui nous entoure. Je soupire et m'adosse à la porte de la salle de bain et croise les bras sur ma poitrine, les sourcils froncés, décidée à ne pas bouger. Ma passivité fait enfin stopper sa course effrénée.

— Mais tu ne veux pas te lâcher un peu ? Et me faire confiance ? Tu vas voir, c'est magnifique ce que je te propose de voir. Il ne s'agit que d'une seule nuit !

— Ok, mais attends, tu débarques chez moi comme un hystérique, tu prends ma valise... excuse-moi de chercher à comprendre ce qu'il se passe.

— D'accord, alors allons-y pour les explications ! Seydisfjördjur est un tout petit village à quelques heures de voiture d'ici. Comme la route n'est pas simple, je me suis dit qu'il était préférable de prendre une nuit sur place. Cela nous permettra de revenir demain en fin de journée ! Et tu pourras retrouver tes habitudes de vieille fille sans problème !

— Mes habitudes de vieille fille, mais tu te moques de moi ?

Après quelques secondes de réflexion, le voir si excité fait retomber l'énervement qui m'animait en le voyant faire des choix à ma place. Je râle mais je suis ravie de cet enthousiasme débordant qui est quelque part tout de même contagieux.

Fabien se contente de hausser les épaules et fait signe qu'il m'attend devant la porte d'entrée. Je prends rapidement quelques affaires, et une fois de plus, je le suis dans cette folie qui jusqu'à présent ne m'a apporté que de belles journées et de beaux souvenirs.

Pendant qu'il conduit, je me plonge dans le guide touristique que j'ai glissé dans mon sac à dos pour essayer de voir ce qui se trouve dans ce petit village. Effectivement, c'est un petit port de pêche de seulement 750 habitants et l'église bleue qui apparaît en photo semble magnifique. Sans se parler, je pose mon livre et regarde Fabien. Il me fait un petit sourire en coin, l'air de dire, tu vois j'ai raison, le lieu où je t'emmène est magique !

Nous n'avons que deux heures de route mais Fabien a raison, la route n'est pas simple et quand, à seulement trente minutes d'arriver, la montagne se dresse devant nous et que nous prenons de l'altitude, je fixe le pare-brise, stupéfaite de la transformation si rapide du paysage.

En fait, il neige à gros flocons et nous nous trouvons rapidement entourés d'un manteau blanc, avec très peu de visibilité. Je ressens une pointe d'angoisse de peur d'avoir un accident et prie intérieurement pour qu'aucune voiture ne nous croise. Pourtant, le paysage est époustouflant et je ne parviens pas à détacher mes yeux de la fenêtre.

Quelques kilomètres plus tard, Fabien décide de se garer sur un petit parking, tracé en arc de cercle sur le bas-côté droit. Persuadée qu'il s'arrête faire une pause technique, je reste fixer le tapis blanc avec admiration, mais il place son bonnet sur sa tête, me tend le mien et m'invite à descendre.

Toujours sans prononcer un mot, je descends de la voiture, docilement sans rétorquer.

— Regarde-moi cette neige ! s'extasie Fabien.

Le sourire sur son visage semble le rajeunir. On ne dirait plus un homme de quarante ans, mais un enfant de dix ans, lors du matin de Noël. Je reste l'observer pendant qu'il marche et laisse son empreinte en faisant crisser ses pas sur le sol. Sa spontanéité est incroyable et me bouscule.

— C'est magnifique, je lui réponds dans un souffle. C'est incroyable de voir autant de neige alors que nous sommes fin juin !

— C'est fantastique, je te l'accorde. J'adore cet endroit, c'est irréel, on a le sentiment d'être seuls au monde.

Je tourne la tête à droite, puis à gauche et me frotte les mains pour me réchauffer.

— Pour le coup, nous sommes vraiment seuls ! Personne ne passe sur cette route ?

— Je ne dirais pas personne, mais comme partout en Islande, les routes secondaires sont rarement blindées ! Et puis, comme tu l'as vu, des touristes n'ont pas forcément envie de s'aventurer sur cette route.

J'avance, les mains dans les poches, et souffle volontairement pour voir si le froid créé de la vapeur à la sortie de ma bouche. Mais il n'en est rien. Alors je continue de marcher et me concentre sur le craquement de mes pieds sur la neige. J'adore cette sensation, même si je ne l'ai quasiment jamais éprouvée. Je regrette de ne pas avoir pris mes lunettes de soleil car le sol est éblouissant et je peine à apercevoir Fabien que j'ai laissé près de la voiture, à travers le brouillard épais.

Un hurlement de terreur me fait sursauter et crier d'une voix si aigüe que le niveau de décibels provoqué par ma bouche, me perce mes propres tympans ! Puis, mon cou frissonne en ressentant soudainement une sensation humide et glacée.

Je mets du temps à réaliser que Fabien vient d'adresser une boule de neige directement propulsée sur ma tête. Des morceaux de glace glissent dans mon dos et me procurent une sensation désagréable qui me fait grimacer.

— Mais ce n'est pas possible, quel âge as-tu ?

Fabien ricane joyeusement et je le vois se rapprocher de moi, les mains derrière le dos.

Hors de question que je me fasse avoir une fois de plus. Je plonge alors rapidement vers le sol pour rassembler le plus de neige possible entre mes doigts. Je regrette vivement, une fois de plus, de ne pas avoir emporter mes gants car le froid me brûle les extrémités.

Quand je propulse à mon tour ma toute petite boule de neige, Fabien m'a déjà touchée une seconde fois. Je pouffe de rire et lors des dix minutes qui s'écoulent par la suite, j'ai de nouveau cinq ans.

Ce n'est que lorsque nous sommes essoufflés tous les deux que nous décidons de remonter dans la voiture, de gigantesques sourires sur nos visages complices.

Quelques kilomètres plus loin, le ciel se dégage et les montagnes enneigées laissent place à la verdure, presque à regret. Puis, au détour des virages, la route qui zigzague surplombe à présent la mer. J'ai beaucoup de mal à croire que nous allons parvenir à un village, mais nous finissons par apercevoir, dans le fond de la vallée, une église entourée de brume. Il nous faut encore une vingtaine de minutes avant de nous garer devant notre hôtel pour la nuit. En même temps, quand je regarde autour de moi, je me dis que cela doit être le seul hôtel du village. Situé au fond d'un magnifique fjord, le minuscule village de Seydisfjördur offre cependant un cadre exceptionnel.

Le fait de se retrouver enclavé au pied des montagnes lui donne un charme mystérieux insaisissable. Quant à l'intérieur de l'hôtel, il semble aussi servir d'espace de travail et de bar, et se trouve être plutôt moderne. Contrairement aux chambres qui se logent à l'étage supérieur. Néanmoins, l'aspect vieillot n'empêche pas que la pièce soit propre et la vue de la fenêtre y est remarquable.

Fabien a pris soin de louer deux chambres communicantes et nous nous séparons le temps de poser nos affaires. Je prends aussi le temps de me doucher afin de me réchauffer et le rejoins dans sa chambre où nous déjeunons rapidement d'un sandwich qu'il a préparé le matin. À peine notre repas avalé, nous enfilons chaussures, vestes et bonnets et partons à la découverte de ce tout petit port de pêche. La brume est très présente et laisse planer une ambiance mélancolique, d'autant que nous avons l'impression d'être seuls au monde.

En déambulant dans les petites rues, Fabien m'explique qu'il s'agit de l'endroit en Islande où l'on trouve le plus de galeries d'art et de magasins de design.

Cela me surprend au vu du faible nombre d'habitants et pendant qu'il me parle, je l'écoute avec attention, la tête légèrement rentrée dans les épaules, pour me réchauffer.

La petite église à la couleur bleu pastel, d'inspiration norvégienne est le symbole de ce village. Devant elle, un chemin de dalles multicolores en hommage au drapeau arc-en-ciel de la communauté LGBTI impose respect et tolérance. Je la photographie sous tous les angles et Fabien rit de me voir si enjouée.

Dans le village, on trouve aussi des maisons typiquement scandinaves, très colorées qui se reflètent dans la mer. Face à elles, je me sens puissante. On se croirait dans un village de poupées avec des teintes extraordinaires. Je pense pouvoir dire que cela fait des années que je n'ai pas ressenti un tel vide dans mon esprit. Comme anesthésiée des moments douloureux, je ne pense à rien d'autre que d'observer chaque détail qui se trouve sur ces magnifiques façades typiques. Cette brume qui enveloppe l'église ne tarit en rien la beauté de ce paysage.

Fabien et moi parlons peu, nous nous contentons de saisir le moindre instant pris sur le vif dans ce petit bourg mystérieux. Des petites boutiques remplies d'objet d'art et d'artisanat nous captivent pendant de longs moments. Et dans chacune d'entre elles, règne une ambiance chaleureuse, avec de la musique islandaise en léger fond sonore qui donne une atmosphère si apaisante.

Puis, après avoir marché pendant des heures, nous retournons à l'hôtel pour nous reposer avant d'aller dîner… dans le seul restaurant ouvert du village.

Lorsque je sors de l'hôtel et que j'attends devant le porche mon compagnon de voyage, je me sens étrange. Comment expliquer toutes les émotions qui me traversent depuis que j'ai pris la décision de quitter la France ? Comment accepter que, pour une fois, je vis pour moi et non pas dans l'attente de cette souffrance perpétuelle qui me saisissait du corps à la tête…

Je suis encore trop prise de culpabilité pour ressentir ce que l'on peut appeler le bonheur… cela m'est impossible et je peine à croire que je puisse être heureuse sans elle… Mais, sans attendre le bonheur, vivre en paix serait déjà un bon intermédiaire.

Je suis perturbée par la place que j'ai laissée à Fabien en si peu de temps, moi qui suis imprégnée de méfiance envers toutes les personnes qui m'approchent, surtout vis-à-vis des hommes.

Il était pour moi au départ, un personnage odieux et irritant, puis il s'est transformé en véritable gentlemen possédant une empathie bienveillante. Une personne qui a su faire exploser les milliers d'émotions enfermées au fond de moi depuis des années. Ce que j'éprouve à ses côtés est étrange, car ce sont comme des petites étoiles éclatées qui vibrent à chaque moment passé ensemble. C'est bien au-delà d'une complicité ou même d'un sentiment.

— Hello, beauté, on m'attend depuis longtemps ?

Je sursaute quand Fabien arrive justement derrière moi. Je rougis et ne réponds pas, il sent immédiatement mon malaise et se contente alors de me tapoter l'épaule comme des retrouvailles entre vieux potes.

— En tout cas tu es superbe…, murmure-t-il.

Je voudrais m'enfoncer sous terre tellement je suis mal à l'aise. Si j'ai conservé ma doudoune pour palier au froid ambiant, j'ai pris le temps de me maquiller, chose que je fais rarement et encore moins depuis que je suis en Islande.

— Je te remercie…, le restaurant est en face c'est ça ?

— Oui ! Alors, restaurant, c'est peut-être un peu rapide comme superlatif. Je dirais davantage une espèce de pub.

— En même temps, nous n'avons pas vraiment le choix, donc nous verrons bien !

Fabien hoche la tête et me pousse gentiment dans le dos pour avancer et traverser la petite route qui nous amène de nouveau à observer l'église bleue et son parterre coloré. Quand nous pénétrons dans l'établissement, la chaleur moite nous saisit. Il y a du monde, des rires, des éclats de voix et des bruits de verre qui s'entrechoquent. Je me fais la réflexion que tout le village doit être réuni dans cet endroit tant il y a du monde ! Notre arrivée ne semble en rien perturber l'animation du moment puisque personne ne se retourne vers nous.

Fabien se dirige vers un serveur, derrière le comptoir, occupé à réaliser un cocktail et dans un anglais assez sûr demande où nous pouvons nous installer.

Pendant ce temps, j'observe autour de moi et le bruit qui m'oppressait quelques secondes plus tôt, me rassure soudainement. Je perçois l'endroit sécurisant et agréable et la forte odeur d'oignons grillés me séduit aussitôt. Une fois installés, à la lecture du menu, nous sommes vites rassurés sur le fait de trouver notre bonheur et nous commandons tous deux, une bière du pays et un hamburger maison. Pendant l'attente des plats, Fabien tapote son poignet à l'aide de ses doigts.

— Ça va ? j'ose demander discrètement de peur de perturber le fil de ses pensées.

— Bien sûr, répond-t-il, d'un air plutôt sûr de lui. C'est pas mal finalement comme endroit. Bon du coup, tu ne colles peut-être pas dans le style de la déco, mais j'aime ce décalage, rigole-t-il d'un ton ironique.

Il constate que je suis gênée par sa remarque et baisse les yeux. C'est vrai que j'ai également sorti mon plus beau chemisier en soie verte. Même si je suis vêtue d'un jeans plutôt sportwear, j'ai pris le temps de souligner mes yeux d'un trait d'eye liner et j'ai effectué une sorte de couronne floue avec mes longs cheveux me donnant à la fois un air chic et bohème. Je me maquille rarement. Et encore moins les lèvres. Mais, ce soir, j'avais ressenti l'envie d'apporter une touche féminine à mon visage si triste d'ordinaire.

— Je suis désolée… je ne pensais pas que… je croyais que…

— Mais arrête Faustine ! Je te taquine ! Des fois tu prends tout au premier degré, faut te détendre ! Je te l'ai dit, tu es magnifique ! J'aime bien te voir prendre soin de toi.

À mon grand soulagement, le serveur interrompt ce moment où j'aurais voulu me planquer sous la table. Le reste du repas se déroule de manière plutôt détendue, Fabien ayant la capacité de briser ces instants malaisants. Nous réalisons que si le bar est autant rempli c'est qu'il diffuse à l'étage, un festival de musique. Le serveur nous explique, qu'en Islande tout le monde aime ce moment télévisuel une fois par an et que c'est une vraie fête pour tous.

Effectivement, les cris se mélangent à des voix hystériques, parfois des hurlements et cela nous amuse beaucoup. Je suis parfaitement repue lorsque nous réintégrons l'hôtel et les deux bières ont légèrement endormi mon côté cérébral, qui, généralement, anticipe tout.

Et lorsque Fabien me dit bonne nuit au moment où je tourne la clé dans la porte de ma chambre, je ne parviens pas à réagir quand soudainement il m'attrape les poignets et pose sa bouche sur la mienne sans même que je puisse réagir.

Alors est-ce l'effet de l'alcool ? Deux bouteilles de bière à six degrés sur mon corps inhabitué, cela peut faire des dégâts.

Ou alors la spontanéité de Fabien qui fait que je n'ose pas le repousser ?

Ou tout simplement le désir qui monte si vite en moi que tous mes sens me lancent des warnings sonores dans mon cerveau et que je me refuse à écouter.

Ses mains caressent mes joues avec douceur et contrastent avec la brutalité du baiser. Je me retrouve bloquée contre la porte de ma chambre et suis paralysée face aux réactions que je devrais peut-être avoir. Sans penser à Stéphane, ou alors le temps d'une demie seconde, je me comporte comme une vraie adolescente et me laisse aller à ce qui, à la fois me tétanise et me provoque des sensations nouvelles.

Si ma tête me supplie de le repousser, tentant de m'indiquer à l'avance que je vais finir par souffrir et que j'ai assez donné, mon palpitant cardiaque me conforte à me laisser aller.

Si Fabien m'a prouvé, qu'il peut exister des hommes avec de belles intentions, je peine à faire pleinement confiance aux hommes et pour autant j'éprouve des difficultés à faire cesser mes hormones de prendre le dessus sur la situation actuelle. Stéphane était aussi quelqu'un de bien au début…

Avant qu'il ne révèle sa véritable personnalité…, avant qu'il ne tisse sa toile autour de moi…, avant qu'il ne brise la femme que j'étais…

Deuxième partie

27 mai 2002

20 ans

— Mademoiselle, je suis certain que vous pouvez me sauver la vie !

Je lève la tête de mon ordinateur pour observer, en plissant les yeux, ce client entré il y a quelques minutes et qui pourtant m'avait à peine dit bonjour en pénétrant dans l'agence.

L'urgence dans la voix et parallèlement son sourire illuminant son visage, me fait glousser comme la gamine que je suis.

— C'est un peu extrême, monsieur. Vous êtes dans une agence de voyage et non pas dans un hôpital, mais que puis-je faire pour vous ?

— Une charmante jeune femme vient de rompre avec moi. Bon, je l'avoue, bien moins charmante que vous, mais je suis triste et j'ai besoin de me changer les idées. Au soleil de préférence ! Savez-vous qu'elle pourrait être cette destination idéale ?

Je regarde autour de moi afin de vérifier que personne ne nous écoute. Il parle fort, avec un air, à la fois euphorique et terriblement séducteur. Sa stature est si imposante qu'en étant assise je me sens ridiculement petite.

Je reste l'observer quelques instants, en silence, pendant qu'il me sourit et qu'il regarde les revues posées sur mon bureau. C'est la première fois que je vois ce client. Je me serais rappelée sans aucun doute de son charme manifeste. Il est l'heure de la pause déjeuner et je suis seule à l'agence. Je ne sais pas pourquoi mais je me laisse envelopper par son bagout et nous restons discuter pendant près d'une heure.

Au bout de ce laps de temps, sachant que mon patron ne va pas tarder à revenir, je tente de recentrer notre échange sur des propositions de voyages car il a beaucoup parlé de lui et m'a énormément questionnée sur ma vie. Je suis donc loin de lui avoir vendu un voyage tout inclus...

De nature timide, je suis plutôt embarrassée de l'aisance de cet homme et je ne suis pas vraiment parvenue à abréger notre échange. Lorsqu'il repart enfin de l'agence, je serre délicatement le petit papier cartonné qui contient son numéro de téléphone et qu'il m'a glissé avant de m'allouer un dernier sourire. Surprise d'avoir pu intéresser un homme comme lui, je suis gênée de ne pas parvenir à faire ralentir les palpitations de mon cœur.

De retour chez moi, si mon esprit ne cesse de penser à la forme de son visage et à son sourire, j'essaie de me raisonner. J'ai seulement vingt ans et je ne devrais pas m'enticher de cet homme qui fait bien plus âgé que moi. Mais quelque chose en lui vient m'animer et je sens la séduction opérer chaque fois que je repense à notre conversation.

D'ailleurs, je ne peux m'empêcher de contacter ma meilleure amie, Sarah, pour lui raconter dans quel état d'esprit je suis, espérant avoir son avis objectif, quitte à me prendre une douche froide.

— Ma chérie, je sais que tu es célibataire depuis un moment, mais je trouve que tu t'emballes un peu vite ! Un bel homme te fait les yeux doux et tu fonds littéralement ! Sois prudente, tu sais bien que tu as un cœur d'artichaut et cela n'attire pas toujours les personnes qu'il te faut !

Nous échangeons quelques instants mais je reste assez frustrée de son discours. Ce n'est pas vraiment ce que j'espérais entendre. Même si, au fond de moi, je sais qu'elle a parfaitement raison.

De ce fait, je décide, presque à contrecœur, de ranger le petit carton dans mon tiroir de salle de bain et je tente de ne plus y penser.

C'était sans compter sur la persévérance de mon inconnu. Comme au bout de deux jours, je ne l'avais toujours pas appelé, il passa de nouveau à l'agence. Et il n'en a pas fallu beaucoup plus pour me séduire davantage. Lorsqu'il me parlait, je me sentais belle.

J'avais réellement le sentiment de lui plaire. Chaque mot qu'il utilisait provoquait un effet de papillons dans le creux de mon ventre. Je n'avais jamais ressenti ça. Rien à avoir avec un petit flirt d'adolescence. Lui était mature, incroyablement beau et intelligent.

À ses côtés, je me sens à la fois fière et étonnée qu'un homme comme lui daigne s'intéresser à moi. À vrai dire, je ne me pose pas beaucoup de questions sur notre relation naissante. Les semaines passent et nous nous voyons quasiment tous les jours. Il se fait pressant pour me revoir et j'adore l'intérêt qu'il a pour moi.

Stéphane est architecte et peut passer des heures à parler de son métier pendant que je bois ses paroles tant il me fascine. Il m'emmène dans des endroits de Nantes que je ne connaissais pas, nous mangeons au restaurant quasiment tous les soirs. Je découvre tout simplement le monde des adultes.

Si Sarah et ma mère tentent de modérer mes émotions et mes sentiments amoureux émergents, je suis comme dans ma bulle un peu mièvre et hermétique à leurs conseils.

Lorsque je suis chez moi, je trépigne comme une gamine, guettant le moindre message de sa part. Je range mon appartement pendant des heures, lis un roman, me coiffe pendant de longues minutes devant la glace, testant de nouvelles coiffures pour dompter mes cheveux longs… Et lorsque je suis avec lui, des frissons de bonheur et de plaisir me parcourent le corps jusqu'aux racines de mes cheveux. J'ai bien conscience que j'agis comme une jeune adolescente qui découvre l'amour, mais je ne parviens pas à me retenir et prendre le temps de freiner nos ardeurs.

Stéphane est gentil et généreux. Il passe son temps à me couvrir de cadeaux et de compliments. Et comme je suis sincèrement embarrassée, il rétorque que rien n'est trop beau pour moi. Jamais on ne m'avait parlé ainsi, jamais on ne m'avait enveloppée de douceur et de tendresse à ce point.
Et finalement, il faut peu de temps pour que nous emménagions ensemble.

Un soir, en sortant du cinéma, il me raccompagne dans mon petit deux-pièces et s'agace légèrement en observant mon salon, prétextant que je vaux mieux que de vivre dans une cage à lapins. Je me suis trouvée un peu mal à l'aise, surprise de sa réaction, et je lui ai répondu que j'appréciais mon petit appartement où je me sens vraiment bien. C'est le premier appartement que j'occupe en totale indépendance et c'est aussi une grande fierté vis-à-vis de moi-même.

Il me serre alors dans ses bras de telle sorte à ce que je plonge mon visage dans le creux de son épaule, puis il relève mon menton, me fixe intensément et me tend une clé.

— Cela veut dire que tu pourrais refuser cette clé ? susurre-t-il d'une voix suave.

Je reste muette, essayant de comprendre où il veut en venir. Ma tête n'arrive qu'à la hauteur de son torse et je dois lever la tête vers lui pour tenter de capter son regard et comprendre où il veut en venir.

Il éclate de rire, m'ébouriffe les cheveux et murmure à mon oreille :

— Je veux que tu viennes habiter avec moi. Ce n'est pas une question princesse ! Je te veux à mes côtés jour et nuit, je suis fou amoureux de toi, il est hors de question de te savoir loin de moi une minute de plus.

Je rougis et souris timidement.

Je me souviens que ce jour-là, il ne m'a pas vraiment laissé répondre. Il a approché ses lèvres des miennes et m'a déshabillée dans l'entrée de mon appartement.

Technique imparable à une éventuelle hésitation. Parfois, nous perdons le fil de notre vie sans même s'en apercevoir. Et c'est comme cela que je me retrouve, seulement quelques semaines plus tard, au soir de mon emménagement chez lui.

La journée a été épuisante car nous nous sommes levés tôt, mais je n'ai ressenti qu'une humeur joyeuse à l'idée de commencer ma nouvelle vie de femme. Lorsque la porte se referme derrière les dernières personnes qui nous ont aidés tout au long de la journée, je sens Stéphane plutôt tendu.

Je m'approche de lui et lui caresse les épaules, mais il ne me regarde pas et son regard est perdu dans le vide. Pendant quelques secondes, je ne reconnais pas sa bonne humeur habituelle, il devient subitement l'incarnation de quelqu'un de sombre. Son visage paraît dur et fermé. Ses traits sont contractés et son regard est froid. J'essaie de capter son attention mais je n'y parviens pas. Heureusement, ce passage ne dure que quelques secondes, il finit par se ressaisir, me tapote gentiment la joue et monte se coucher, sans un mot.

Je lui souris, un peu crispée et le regarde s'éloigner. Je ne suis pas habituée à cette froideur et en même temps je réalise que je le connais peu. Si je m'attendais à mieux pour notre première nuit ensemble, je me contente de nettoyer la cuisine salie par l'apéritif servi à nos convives et lorsque je monte me coucher également et me glisse à ses côtés, il tourne le dos vers la fenêtre.

Mettant cela sur le compte de la fatigue, je me pince les lèvres, me tourne également et sombre dans un sommeil rapide et profond.

2 juillet 2002

20 ans

Quinze jours après le déménagement

— Tu ne sais pas où tu as mis ma sacoche ? Tu en es certaine ? Je l'ai posée dans l'entrée hier soir en rentrant, j'en suis persuadé ! C'est forcément toi qui l'as touchée !

Un silence, puis une phrase qui vient immédiatement tambouriner dans ma poitrine.

— Je savais qu'en t'invitant à vivre ici, tu allais foutre en l'air mon organisation, rajoute Stéphane de manière cinglante.

Je suis assise sur le tabouret face à l'îlot de cuisine où nous déjeunons chaque matin et n'ose plus respirer. Stéphane s'est réveillé de mauvaise humeur et à priori il a décidé de passer ses nerfs sur moi. Plutôt que de me défendre, je reste stoïque et silencieuse. Je culpabilise de le voir s'activer pendant que je déjeune, mais je ne parviens pas à réagir.

Son ton est sec mais ce n'est pas le son de sa voix qui m'interpelle le plus. Ce sont davantage les mots qu'il vient de prononcer. Je pourrais répondre que c'est lui qui a insisté pour que j'emménage chez lui, mais instinctivement, je sens que je dois rester silencieuse pour ne pas envenimer la situation. Je me contente de le regarder s'agiter et serre fermement ma tasse de thé qui finit par me brûler les doigts.

Et seulement quelques minutes plus tard, il me fait face dans la cuisine en souriant.

— Je l'ai trouvée ! Tu l'avais bien cachée ! S'il te plaît ne touche plus à mes affaires. Je suis quelqu'un d'organisé et je ne voudrais pas avoir à te mettre dehors parce que tu n'es pas capable de tenir une maison ! Bonne journée ma puce, à ce soir, n'oublie pas, nous dînons en ville avec mon associé.

Sur ces dernières paroles, toujours le sourire aux lèvres, il m'embrasse sur le front et sort de la pièce. Ce n'est que lorsque j'entends la porte claquer que je reprends mon souffle.

Dans les instants qui suivent son départ, je ne cesse de me repasser le fil des dernières minutes et la teneur de ses propos. Je ne sais pas vraiment comment interpréter ce qu'il vient de me dire. Me mettrait-il réellement dehors ?

Je cesse d'être figée et secoue la tête. Bien sûr que non ! Qu'est ce que je peux être fragile et susceptible ! Je suis restée célibataire tellement longtemps que je ne perçois même plus l'humour au sein d'un couple. Et puis, c'est la première fois que je vis avec quelqu'un. Peut-être que je devrais être davantage active et organisée ?

Stéphane est un véritable homme et non pas un adolescent comme j'ai pu en rencontrer jusqu'alors. Il a besoin d'une femme qui gère l'organisation de sa maison et on ne peut pas dire que jusqu'à présent je sois cette femme idéale.

Ce jour-là, ne travaillant pas, je reste à la maison et range tout ce que je peux trouver. Très peu de choses, car j'ai uniquement apporté mes vêtements et quelques produits d'hygiène. Stéphane possédant tout, je n'avais pas besoin de ma déco et de mes meubles. Mais je nettoie ce qui semble déjà propre, en espérant que Stéphane s'aperçoive de mes efforts. Puis, j'écoute de la musique, appelle Sarah en lui disant que tout va bien, mais pour autant, malgré mon agitation permanente, une petite sensation désagréable au milieu de mon ventre me dérange le reste de la journée.

7 mai 2008

26 ans

— Je suis tellement heureuse ma chérie !

— Moi aussi maman, même si je n'arrive pas encore à réaliser... cela faisait tellement d'années que l'on essayait. Stéphane avait fini par croire qu'il ne serait jamais père parce que j'étais stérile.

— Quelle idée ! Cela aurait très bien pu venir de lui aussi ! Réplique ma mère. Il fallait être patient, mais le principal c'est que vous allez l'avoir ce bébé ! Cela va vous apporter tellement de bonheur. Je me rappelle encore de ma grossesse ! Je n'ai jamais été aussi épanouie !

Ma mère ne m'a pas lâché les mains depuis que je lui ai annoncé que j'étais enceinte. Sa pression exercée sur mes doigts devrait me rassurer. Et pourtant...

Je tente de lui sourire sincèrement, même si mon regard est plutôt vide.

— C'est prévu pour quand exactement ? demande ma mère.

— Pour le mois de mars !

Stéphane vient de surgir dans la pièce pour répondre à ma mère et nous rejoint dans le salon, une bouteille de champagne à la main. En arrivant à notre niveau, il passe la main sur mon épaule en exerçant une légère pression et je ne peux m'empêcher de frissonner.

Je prie pour que ma mère ne s'en soit pas aperçue. Mais comme il s'approche d'elle et la serre dans ses bras, son attention est vite détournée. Pendant qu'ils échangent tous les deux, de manière animée, je fixe un point derrière le dos de ma mère, sur le mur du salon.

C'est comme une sorte de mise en pause de mon esprit, je force mes neurones à dire stop, à ne pas réagir. Je crispe mes mains que ma mère a lâchées pour serrer ma jupe afin de décharger tout ce que je me retiens de hurler. Je voudrais crier et la secouer en disant que tout cela n'est que fumisterie, que ce n'est qu'un rôle que nous jouons tous depuis tant d'années.

Je voudrais être un pantin qui ne ressent plus rien, qui n'a pas mal au plus profond de sa chair. Mais je reste telle une statue, immobile sur ma chaise et aucun son ne sort de ma bouche.

Je pose alors les mains sur mon ventre où je ne discerne pas grand-chose pour le moment mais je sais qu'un bébé y est en train de grandir.

Stéphane m'a déjà offert un tas de livres qui reposent sur ma table de chevet et que j'ai feuilletés lorsqu'il était au travail. J'ai lu que le fœtus ressent les émotions de sa mère, perçoit les ambiances et les sons assez rapidement et ainsi tout au long des mois avant l'accouchement.

Quelle mère suis-je pour lui faire vivre tout ce que je vais vivre ces prochains mois, tout ce que je vis depuis des années…

Je ne m'attendais pas vraiment à tomber enceinte. Depuis cinq ans, je prenais toutes les précautions nécessaires, en cachette, pour éviter ce genre de problèmes…

Non pas que je ne souhaite pas être mère… mais je ne voulais pas qu'un enfant naisse dans ce foyer. Qu'il naisse dans une famille où la mère est si faible qu'elle ne parvient pas à prendre des décisions dans sa propre vie. Quelle image allais-je lui donner ? Comment allais-je le protéger ?

— Ma chérie, tout va bien ?

Je détourne le regard de mon point fixe pour contempler ma mère qui semble inquiète.

— Bien sûr maman, tout va bien.

Je la rassure comme je peux. J'ai l'habitude de le faire. Je suis forte en comédie. Mais aujourd'hui, j'ai moins d'énergie à monter cette pièce de théâtre sans fin.

Elle se lève et vient m'essuyer la joue. C'est comme cela que je me rends compte que je pleure. Stéphane s'empresse d'attraper ma mère par la taille et lui tend une flute de champagne.

— Ce sont les hormones Gisèle ! Elle ne fait que pleurer depuis quelques jours ! J'espère que cela ne va pas durer les 7 prochains mois !

Je ne parviens pas à le regarder, ni à lui répondre. Alors je me contente de sourire tout en essuyant mes joues. Un sourire qui me fait mal tant ma peau est crispée et sèche. Ma mère continue de me dévisager, l'air soucieux, puis, finalement, revient à sa discussion avec Stéphane sur la décoration de la chambre du futur bébé.

30 octobre 2008

27 ans, enceinte de 7 mois

La pièce est plongée dans le noir et il n'y a plus aucun bruit. Je sais que je n'ai plus rien à craindre pendant quelques heures, mais je ne parviens pas à cesser de trembler.

Je suis recroquevillée contre le lit, à même le sol. La moquette chaude n'apaise pas les brûlures que je ressens sur les cuisses. Je pleure en silence tout en soutenant mon ventre si peu développé malgré le fait que le terme de ma grossesse soit dans deux mois.

Je suis consciente que ce n'est pas bon pour mon bébé. Non pas que je ne mange pas assez, tout simplement, le stress me dévore de l'intérieur. J'ai l'habitude de pleurer en silence. Il y a quelques années, je n'aurais jamais pensé que cela puisse être possible.

Maintenant, c'est devenu si habituel que c'est une sensation naturelle qui ne me surprend plus. J'ai pourtant été tranquille ces derniers mois.

La violence ne s'était pas stoppée, elle s'était contentée d'être davantage perfide et insidieuse. Beaucoup plus que la violence physique, elle me pénétrait à chaque mot et je ne savais pas dire laquelle faisait le plus de mal.

Un soir, lorsque j'étais enceinte de quatre mois, j'ai fini ma nuit à l'hôpital. Stéphane avait été si violent qu'il s'était vu contraint de contacter le Samu puisque je ne réagissais plus et saignais tellement qu'il avait craint que je ne perde le bébé.

Depuis, il n'avait plus levé la main sur moi jusqu'à ce soir.

Je ne compte plus le nombre incalculable de fois où j'ai tenté de partir. Mais depuis bien longtemps, Stéphane emmène avec lui l'ensemble de mes papiers. Et sans documents ni argent, je ne peux pas aller bien loin. Si, à plusieurs reprises j'ai voulu appeler ma mère et lui crier de venir me chercher, de me libérer de cette prison superficielle et dorée, j'étais terrorisée à l'idée que Stéphane débarque chez mes parents et me fasse passer pour folle.

Ils étaient à mille lieux de se douter que Stéphane était un homme malade, rempli de violence et qu'il se défoulait sur moi depuis le temps où j'avais emménagé chez lui.

Cela a commencé par des phrases indélicates qui m'avaient davantage étonnée que choquée, puis des reproches qui ont conduit à de l'humiliation, des insultes, et pour finir, une gifle.

J'ai pourtant vu des témoignages et des téléfilms sur la violence conjugale avant de rencontrer Stéphane. Et à l'époque je ne comprenais pas. Je n'avais pas saisi pourquoi ces femmes restaient et mettaient des années à partir, voire ne partaient pas et finissaient par mourir sous les coups.

Je ne comprenais pas comment elles pouvaient être si isolées.

Et aujourd'hui, je suis l'une d'elles.

Nous ne sommes pas dans un téléfilm… Je pensais être une fille intelligente et pourtant je ne suis plus qu'une prisonnière de mes propres erreurs.

Je ne travaille plus depuis des mois, car Stéphane pense que je n'ai pas besoin de travailler et surtout de rencontrer des gens. Pour lui, il fallait que je me consacre à tomber enceinte, puis ensuite élever mon enfant.

Je n'ai donc plus aucune activité professionnelle mais je suis devenue la parfaite petite femme de maison.

Sarah a cessé depuis longtemps de m'appeler. Elle a essayé de conserver le lien, pendant plusieurs années… mais j'ai fini par ne plus décrocher quand elle téléphonait. J'avais tellement honte de celle que j'étais devenue. D'ailleurs, la plupart du temps, Stéphane gardait mon téléphone portable avec lui en journée. Lorsqu'il me le rendait le soir, il n'était jamais bien loin.

C'est comme cela que le lien avec l'extérieur a de plus en plus été coupé. De manière traître une fois de plus, sans que je ne maîtrise quoique ce soit. Cela m'a véritablement échappé.

Parfois, lorsque j'avais un peu de force et d'énergie, je préparais un sac et je m'apprêtais à quitter cet appartement qui me servait de piège permanent. Puis, la nausée venant, les jambes flageolantes, je me laissais tomber et rangeais mes affaires rapidement avant que mon mari ne rentre.

Car oui, nous étions mariés.

Les coups étaient pourtant tombés avant notre mariage. Mais au début, il s'excusait et j'étais persuadée qu'il ne le faisait pas exprès. Je me disais qu'il n'avait pas eu ses parents pour grandir et qu'il faisait comme il pouvait en se battant contre ses propres démons. Il m'aimait et je devais me contenter de son amour si fort que, lorsqu'il ne me battait pas, il s'occupait de moi comme au premier jour et me comblait de cadeaux et d'attentions.

Les deux premières années, il pleurait dans mes bras et me promettait de ne jamais recommencer.

Je me disais qu'il avait besoin de mon amour pour guérir de cette colère qui grondait en lui. Cela peut paraitre très cliché. Et pourtant c'était bien réel. Si l'on m'avait dit lorsque j'étais jeune, que je serais suffisamment naïve et soumise pour rester avec un homme qui me faisait du mal… Pour ne pas partir lorsque celui-ci levait la main sur moi… Pour ne pas être en capacité d'appeler à l'aide quand c'était juste la fois de trop.

J'ai pourtant eu une éducation telle que je n'aurai jamais imaginé vivre sous la coupe d'un homme. Et ce soir, mon corps me fait plus mal que jamais.

Je renifle doucement et m'essuie le nez d'où quelques gouttes de sang s'échappent. Ma chemise de nuit est poisseuse. Je n'ose regarder pour savoir si elle est tâchée de sang ou de sueur. J'essaie de replier mes jambes contre ma poitrine mais la douleur me fait grimacer.

J'ai peur que la princesse qui grandit en moi ait pris un coup. Comment puis-je être si faible que je reste la mettre en danger ? Cette culpabilité me pétrifie.

Qu'il me frappe est une chose, mais en me tapant, il touche également à notre fille… même si ce soir, il a une fois de plus, évité de me toucher le ventre.

Le téléphone fixe sonne au loin. Je ne suis pas en capacité de me lever pour aller répondre, alors je préfère laisser résonner la sonnerie dans l'appartement. Ce n'est pas Stéphane qui appelle. Il a dû partir en soirée avec son associé, ou sa secrétaire.

Car j'ai appris il y a quelques mois, avant que je ne sache que j'étais enceinte, que Stéphane passe beaucoup de temps avec son assistante… Bien entendu, il ne faut surtout pas que j'aborde ce sujet.

Je suis devenue une femme particulièrement silencieuse qui subit plus qu'elle ne réagit. Sans même m'en rendre compte, chaque jour qui passe, chaque coup supplémentaire, m'enferme dans un mutisme qui m'enterre vivante.

Je suffoque de cette vie que j'ai choisie malgré moi. Car après tout, il ne m'a pas forcée à vivre avec lui. Il s'est contenté de me séduire et moi, j'ai plongé tout droit dans ce gouffre.

Je tremble de tous mes membres tellement j'ai froid. J'essaie de me concentrer pour cesser ces mouvements intempestifs que je ne parviens pas à contrôler à mon grand désespoir.

Il faut que je me ressaisisse, il faut que je sorte de cet enfer. Je vais finir par y laisser ma peau et celle de ma fille avec. Moi, je ne vaux pas grand-chose à mes propres yeux, mais mon bébé est déjà toute ma vie...

J'essaie de lever la tête difficilement en fixant le plafond. Je vais appeler ma mère et elle viendra me chercher. Elle m'aidera à déposer plainte et mon père me protégera.

Malgré ces pensées de fuite et d'espoir, je ne bouge pas et reste prostrée sur le sol.

Je me sens sale. Je voudrais pouvoir atteindre la salle de bain et faire couler l'eau chaude sur ma peau, mais celle ici est endolorie et mes pieds ne me porteront pas jusque là-bas.

Alors, je reste immobile pendant ce qui me semble de longues heures.

Je sais que Stéphane a fermé la porte à clé et qu'il peut arriver d'un moment à l'autre. Je pourrais essayer de me lever, ou du moins de me traîner jusqu'au téléphone. Mais, même si je parviens à m'enfuir, il me retrouvera. Et que ferais-je de notre fille ? Il arrivera à obtenir la garde j'en suis persuadée. Personne ne peut se douter de l'homme qu'il est. Il me fera passer pour folle et il y parviendra... Il exerce un tel charme auprès des personnes extérieures que je n'aurai aucune crédibilité...

Je repose ma tête contre le matelas et essaie de déplier mes jambes qui commencent à être complètement engourdies. Un cri étouffé vient faire apparaitre une grimace sur mon visage.

Il fait complètement nuit. Je n'ai aucune conscience du temps qui s'est écoulé telles des minutes aiguisées.

Je continue à renifler et le vertige me saisit. Je repose ma tête contre le rebord du lit et ferme les yeux.

Je pourrais me confronter à lui... je pourrais me tenir droite devant lui et lui dire que cela suffit... je pourrais lui balancer à la figure les fleurs qu'il me ramènera la prochaine fois...

Je pourrais tellement de choses... si j'étais plus forte... si j'avais réagi avant d'être complètement brisée...

26 janvier 2009

27 ans, l'accouchement

— Votre petite fille est en parfaite santé, madame Tramier.

Je tends les bras vers la sage-femme et saisit délicatement ma petite fille si fragile et si douce. Sa peau est à peine flétrie, sa petite langue ressort de sa toute petite bouche en cul de poule et ses yeux me fixent intensément.

Elle ne crie pas, ne pleure pas. Elle est silencieuse et le temps est suspendu. Je ressens instantanément une vague gigantesque de tendresse et de plénitude. Une guerrière somnolant en moi se réveille et je pourrais tuer pour la protéger.

En cet instant, je suis seule avec elle, la sage-femme sort de la chambre et je profite de ce moment exclusif avec ma fille.

Son corps est tout chaud et la couverture polaire qui l'enveloppe cache ses pieds minuscules que j'ai aperçus rapidement lorsque l'obstétricien l'a sortie de mon ventre.

Je l'observe à la fois avec amour et angoisse. Combien de temps vais-je pouvoir conserver cette exclusivité ?

Combien de petites minutes vais-je pouvoir respirer et sentir son odeur sans que mon mari ne se l'approprie et commence à mettre en place son emprise ?

Stéphane est parti déjeuner à la cafétaria de l'hôpital après que les puéricultrices ont insisté pendant de longues minutes sur le fait que je pouvais rester seule. Les larmes aux yeux, il m'a embrassée sur le front si fort que j'en ressens encore la pression.

Manon s'agite légèrement entre mes bras et je me mets à la bercer tout doucement en chantonnant une mélodie imaginaire. Je sens que ma vigilance retombe, que les nerfs se relâchent et mes paupières luttent pour rester ouvertes. Mon corps qui a lutté pour rester en vie jusqu'à présent se détend malgré les douleurs physiques liées à l'accouchement.

Je suis épuisée, ces dernières semaines ont été particulièrement difficiles. Je dormais peu, tout d'abord parce que Manon bougeait énormément et que je ne parvenais pas à trouver une position confortable. Et d'autre part, parce que je servais, encore plus que d'habitude, d'objet sexuel pour Stéphane.

Il s'est soudainement rendu compte qu'il fantasmait sur une femme enceinte, en particulier une femme près d'accoucher. J'étais à un tel point de l'humiliation que je me dégoûtais... Je n'avais plus aucun respect pour mon corps depuis que celui-ci était malmené entre ses mains. J'essayais alors de le dissocier de mon esprit et d'imaginer que je me trouvais ailleurs.

Je ne cherchais plus depuis longtemps à me défendre. J'avais rapidement constaté que, plus je me débattais, plus cela durait longtemps.

C'est un miracle que Manon ne soit pas née prématurément…

Elle venait de naître, seulement quinze jours avant la date prévue. Je n'avais pas hâte qu'elle grandisse et qu'elle réalise le monde dans lequel elle venait de tomber.

Mes épaules se détendent lorsque Manon ferme les yeux et que j'amène sa tête à se blottir contre ma poitrine.

Mais, soudain, la porte s'ouvre brutalement, l'ambiance doucereuse s'évapore en même temps que je sursaute. Stéphane vient de rentrer, un énorme nounours sous le bras et une tasse dans l'autre.

Il me tend le gobelet en carton que je saisis hésitante et approche la peluche près du visage de Manon.

— Doucement Stéphane, elle s'endormait !

— Elle aura tout le temps de dormir ! Papa offre un cadeau à sa belle petite fille. Laisse-moi au moins le lui montrer !

Sa voix est euphorique et le ton monte dans les aigües. Je sens sa surexcitation et inconsciemment je rentre mon dos dans le moelleux de l'oreiller.

Il s'assoit sur la chaise près de mon lit et effectue des petits cris en chuchotant des mots incompréhensibles à l'oreille de notre nouveau-né.

Je l'observe avec méfiance. Il semble avoir vieilli de dix ans. Peut-être que le fait d'être père va apaiser ses démons et faire en sorte qu'il ne soit plus violent. Même si je dois essayer d'y croire, je sais bien que les sentiments amoureux envers lui ne seront plus jamais présents.

Certaines femmes continuent d'être amoureuses, pardonnant parce que l'amour reste présent. Ce n'est pas mon cas.

Il me dégoûte… et ne représente plus que de la haine. Peut-être que sa rudesse va se transformer en amour à l'égard de Manon et qu'il va oublier qu'il me déteste… Peut-être que je vais enfin retrouver l'homme d'il y a tant d'années et qu'il va cesser de me frapper…

Toutes ces questions fusent dans ma tête pendant que je l'observe rire devant notre enfant.

Ses cheveux sont en bataille, légèrement striés de gris, quelques mèches retombent devant ses yeux, lui donnant un air légèrement rebelle. Stéphane est un très bel homme malgré le temps qui passe. Le souci est qu'il en a parfaitement conscience et qu'il s'en sert souvent au détriment de belles femmes un peu fragiles. Marié avec moi, je sais cependant qu'il ne se gêne pas pour flirter avec ces demoiselles en détresse qui ne se doutent aucunement qu'une femme l'attend au foyer.

— Comment te sens-tu, me demande-t-il sans me regarder, les yeux toujours fixés sur Manon.

J'hésite quelques secondes avant de répondre. Je suis toujours méfiante quand il s'adresse à moi avec gentillesse.

— Un peu fatiguée, mais ça va.

— Tu es heureuse ?

Cette fois-ci, son regard perçant me détaille intensément.

— Bien sûr. Manon est en bonne santé et c'est le principal.

— Elle ne pleure pas c'est normal ?

— La sage-femme dit que oui. C'est juste qu'elle est calme.

— J'espère qu'elle ne sera pas aussi calme que sa mère ! Pouffe-t-il, le visage enfoui dans l'ours en peluche.

Il y a longtemps que je ne me questionne plus s'il pratique de l'humour ou non. Dans ces cas-là, je reste immuable.

Voyant que je ne réagis pas, il poursuit.

— Je dis cela pour qu'au moins une des deux ait de la conversation ! Sinon je vais cruellement m'ennuyer.

Il éclate de rire bruyamment.

C'est idiot, mais je suis rassurée car il ne me l'a pas ôtée des bras et je peux continuer à la serrer délicatement.

Je caresse ses cheveux bruns fins et clairsemés, sa tête est lourde. Je la maintiens à tel point que mon avant-bras est engourdi mais je n'ose pas bouger de peur de la réveiller. Ses petits poings sous la couverture sont fermés et j'effleure délicatement ses petits ongles.

— Tu l'as mise au sein ? Il faut que tu le fasses rapidement et qu'elle en prenne l'habitude.

— Oui, je l'ai fait en présence de la sage-femme, mais elle n'a pas tété longtemps.

— C'est inquiétant, non ? Il faut que tu insistes à mon avis ! N'oublie pas que c'est bien pour elle, alors ne sois pas douillette, affirme-t-il d'un ton ferme et autoritaire.

— Je vais réessayer, je la laisse juste se reposer un peu. Elle aussi a vécu l'accouchement.

— J'espère que tu ne parles pas de ta fatigue quand tu dis d'attendre...

— Madame Tramier, tout va bien ?
La sage-femme vient justement de rentrer dans la chambre si subtilement que nous ne l'avons pas entendue.

Je me redresse, laissant échapper un petit cri en ressentant la douleur d'entre mes jambes suite aux points de suture.

— Tout va bien mademoiselle, sauf que ma fille ne s'alimente pas. Je pense qu'il faut aider ma femme et lui montrer comment faire, sinon elle ne va pas s'en sortir.

La jeune femme blonde qui porte le nom d'Anaïs, je le sais car c'est écrit sur son badge, s'approche des machines qui se trouvent au-dessus de ma tête et active le tensiomètre.

La bande velcro grise se serre autour de mon bras. J'essaie de me détendre jusqu'au bip sonore qui annonce la fin du gonflement.

— Parfait pour la tension. Comment vous sentez-vous ? Pas de vertige, de fourmillements ? Vous avez récupéré les sensations dans le bas de votre corps ?

Je secoue et hoche la tête docilement à chaque question qu'elle me pose.

Puis, elle se tourne vers mon mari.

— Votre femme s'en est très bien sortie tout à l'heure. Manon étant épuisée, il faudra recommencer dans une petite demi-heure, je repasserai à ce moment-là pour être certaine que tout se passe bien. Vous devriez rentrer chez vous monsieur, pour vous reposer. Il faut que votre femme se repose aussi.

Je sens que Stéphane est piqué au vif. Il n'a pas pour habitude qu'une femme lui donne des ordres et cette femme lui a particulièrement bien tenu tête. Je reste stupéfaite quand celui-ci acquiesce et me dit qu'il revient d'ici une petite heure.

Anaïs, qui est en train de remplir la feuille relevant mon état de santé, se tourne vers moi dès qu'il a franchi la porte. Elle s'approche du lit, un sourire compatissant sur son visage.

— Vous êtes sûre que tout se passe bien madame Tramier ? Vous avez une petite fille à présent.

Je rougis et penche la tête vers ma fille pour l'observer.

— Bien sûr que tout va bien, insisté-je gentiment.

Elle se penche alors vers moi, caresse la joue de Manon et murmure :

— J'ai eu affaire à ce type d'homme madame Tramier, vous ne devriez pas vous laisser faire. Ce n'est pas parce que votre fille est née qu'il changera.

Je ne trouve rien à répondre.

Je retiens mon souffle jusqu'à ce qu'elle sorte de la chambre et enfouis mon visage dans le petit corps paisible de ma fille.

28 septembre 2012

30 ans - Manon, 3 ans

— Maman, regarde ! Maman ! Pourquoi tu regardes pas moi ?

Recroquevillée sur le canapé, je fais un effort incommensurable pour lever la tête et observer ma petite fille qui joue tranquillement sur le tapis du salon avec sa caisse de briques à construire. Elle s'évertue à empiler ses gros cubes, tout en chantonnant, mais je me sens comme si je me trouvais dans une dimension parallèle.

Je me sens vide et je voudrais m'enfouir sous la couette de mon lit pour ne plus en ressortir. Mais elle est là, et je dois rester près d'elle. C'est la vraie vie.

La porte d'entrée claque, je sursaute, puis souffle de soulagement.

Nous voilà seules.

Manon ne perçoit rien. Elle est, à présent, bien trop occupée à construire un embouteillage avec ses automobiles en plastique. Je l'observe raconter ses histoires imaginaires dans un langage, pas toujours compréhensible. Elle, qui est si paisible, me force à reprendre mon souffle calmement.

Depuis qu'elle a l'âge d'attraper tout ce qu'elle trouve, Manon s'est toujours intéressée aux jouets de garçons. Et les voitures, sont des objets qui ne la quittent pas. À chaque moment de la journée, elle tient entre ses petits doigts un véhicule à quatre roues qu'elle pourrait faire glisser sur n'importe quel meuble qui l'entoure.

Cela contrarie forcément Stéphane qui voyait en sa fille une jolie princesse. Si elle en a le minois, elle a clairement un caractère plus fort que docile.

Malgré cela, je ne peux pas dire qu'il n'est pas un bon père. Il joue avec elle dès qu'il rentre du travail, lui donne à manger, l'amène à l'école, achète ses vêtements, … il a toujours été soutenant et présent dans sa figure paternelle depuis sa naissance.

À côté de cela, plus Manon grandit et plus la violence est sournoise.

Elle est tapie dans l'ombre et présente dans le moindre recoin lorsque Manon n'est pas auprès de nous. Indélicate et perverse, elle me fait être dans l'attente. Dans l'attente, que la phrase insultante ou humiliante tombe. Dans l'attente d'être bousculée et que mon bouclier émotionnel ne parvienne plus à tenir.

Parfois aussi, cela se passe plutôt bien et j'en viens à me dire que j'ai de la chance et que cela peut peut-être s'arranger. Que nous formons une vraie famille… En tout cas, pour Manon. Et parfois, cela se passe nettement moins bien…

Aujourd'hui, alors que Manon jouait dans le salon, j'en profitais pour m'habiller dans notre chambre. Me tenant en sous-vêtement devant le dressing à la recherche hâtive d'un pull, Stéphane est arrivé derrière moi et a commencé à me caresser le dos.

Mon corps s'est tendu instantanément laissant au passage quelques décharges électriques parcourir le long de ma colonne vertébrale. Et rien à voir avec celles du désir. Non, plutôt à voir avec celles de la peur.

Si j'ai essayé de contrôler la tension dans mon corps, Stéphane s'en est tout de même aperçu et ses mouvements jusque là plutôt doux se sont appuyés avec une énergie négative que je sentais même le dos tourné.

— Qu'il y a-t-il ma chérie ? Sais-tu qu'en tant qu'épouse, tu m'appartiens… et qu'en ce moment, on ne peut pas dire que tu me laisses ton corps à disposition.

— Arrête Stéphane, ce n'est pas le moment, Manon est juste à côté.

— Ce n'est jamais le moment avec toi… Si j'avais su que j'épousais une frigide ! Heureusement que j'arrive à m'amuser dès que je sors de cette baraque !

Il m'avait alors attrapé les poignets et sa force m'avait conduite à me retourner face à lui. Il était si proche de moi que je sentais sa respiration contre mon visage que je détournai aussitôt.

— Tu me fais mal, Stéphane, avais-je murmuré pour ne pas que Manon m'entende.

J'avais jeté un coup d'œil angoissé vers la porte de la chambre afin de m'assurer que ma fille ne m'entendait pas.

— Laisse notre fille jouer tranquillement. Arrête de la surprotéger. Tu ferais mieux de t'occuper un peu mieux de ton mari.

Sa voix était faible et susurrante, mais aiguisée comme la pointe d'un couteau. Ses mains n'avaient pas libéré mes poignets et je n'osais pas résister.

— S'il te plaît lâche-moi. Manon peut rentrer et nous voir.

Mais Stéphane n'était plus Stéphane. Son regard avait changé. Ses pupilles s'étaient agrandies et le noir de ses yeux m'avait fait trembler indépendamment de ce que j'aurais voulu.

Car je voudrais montrer que je suis forte. Qu'il ne me fait pas peur. Que je peux le quitter. Sauf que je ne parviens jamais à me montrer solide tant l'emprise qu'il a sur moi est importante.

Ses mains se sont mises à se balader sur mon corps. Je me suis sentie sale et des hauts le cœur m'ont saisie.

Je m'attendais à ce qu'il me viole, une fois de plus, et j'ai prié pour que cela soit rapide, mais il a stoppé de suite ses gestes intrusifs.

Il a reculé d'un mètre, sans me lâcher les poignets et m'a observée intensément.

Ne pas crier, ne pas pleurer, penser à ma fille de trois ans qui est dans la pièce d'à côté.

Souvent les femmes victimes de violence ne réalisent pas que ce qu'elles vivent est anormal.

La différence, c'est que, de mon côté, je sais pertinemment que ma vie n'est pas normale et qu'il ne devrait pas me traiter ainsi. Que ce n'est pas une définition de l'amour. Mais, c'est comme si j'avais les pieds coulés dans du béton et que j'étais uniquement spectatrice de ma vie. J'avais conscience de la gravité de son attitude vis-à-vis de moi, mais je ne parvenais pas à m'en sortir.

Je me sentais salie et je ne voyais pas d'autre issue que d'attendre la fin.

Si la naissance de Manon avait donné un peu de répit, je savais que je finirais par mourir sous ses coups. Et c'est certainement ce que je méritais vu que je n'étais pas fichue de partir.

Sa respiration s'était faite de plus en plus bruyante. Il a murmuré des mots inaudibles que mon cerveau n'acceptait pas. Puis, de nouveau il s'est approché de moi, a posé ses lèvres sur les miennes de façon si pressante que ma lèvre a cogné sur mes dents et qu'un goût de fer m'est parvenu immédiatement dans la bouche.

Et sans le voir venir, ma respiration s'est mise à se bloquer.

Stéphane a saisi mon cou à l'aide de ses mains rêches et robustes et a serré si fort que j'ai rapidement suffoqué. Aucun son ne sortait alors que je tentais de m'accrocher à ses bras pour faire en sorte qu'il me lâche mais ses avant-bras se sont tendus et je n'avais aucune prise.

Et plus les secondes passaient et plus le vertige me prenait sans que je ne maitrise quoique ce soit.

Avant de tomber dans l'inconscience, ce sont mes jambes qui m'ont échappé. Elles ont tremblé si fort qu'elles sont devenues toutes molles et je me suis retrouvée à glisser sur le sol, un voile blanc devant les yeux.

Puis, une énorme quinte de toux, un blocage au niveau des poumons qui m'a donné la sensation d'être en apnée.

Il m'avait relâchée.

Il a soupiré et est ressorti de la pièce comme si de rien n'était.

Dix minutes plus tard, je suis donc réfugiée sur le canapé pendant que ma fille me montre son automobile rose qui parle dès qu'on l'a fait rouler sur le sol.

Je tente de lui sourire, de sortir ne serait-ce qu'un petit mot.

Mais mes doigts effleurent mon cou qui me fait encore mal et je n'arrive pas à ressentir la moindre expression de mon être.

C'est la première fois qu'il fait cela.

Parce que les traces vont être visibles, Manon va me poser des questions et je vais devoir lui mentir.

Pour la protéger.

Mais est-ce vraiment de la protection ?

Ou suis-je en train de l'entraîner, malgré moi, dans mon glissement vers un trou sans fond ?

14 avril 2014

32 ans – Manon, 5 ans

Cette fois-ci, le moment est venu.

Une énergie que je n'ai pas eue depuis des années. Une espèce de tornade corporelle qui libère en moi une haine qui, jusqu'à présent, n'avait pas encore fait surface.

Stop !

C'est tout ce qui me vient à l'esprit dans un cri de rage que je contiens, pour le moment, à l'intérieur de moi. Hier, Manon a été témoin de la violence de son père à mon égard. Depuis quelques semaines, Stéphane ne parvient plus à se retenir. Il me bouscule devant Manon sans culpabilité et ne m'adresse la parole qu'en passant par son intermédiaire.

Manon a cinq ans. C'est une enfant vive et intelligente, mais aussi très sensible.

Si elle aime son père, depuis quelques semaines, elle sent que ce dernier n'est pas vraiment l'homme si gentil qu'elle connait depuis sa naissance.

Elle est si fine que lorsque Stéphane rentre de mauvaise humeur et se met à mal me parler, elle file dans sa chambre et ferme sa porte délicatement pour se faire oublier le temps que son père se défoule sur moi.

Mais aujourd'hui, cela ne peut plus perdurer ! Hier, j'ai vu la peur sur son visage. J'ai vu les tremblements sur son petit corps. J'ai vu les larmes rouler le long de ses joues lisses et blanches.

Et lorsque Stéphane est sorti après m'avoir mis une dérouillée parce que j'avais échangé trop longtemps à son goût avec le voisin pour des histoires de courrier, Manon est venue me voir dans ma chambre et m'a longtemps caressé les cheveux.

Et là, j'ai réalisé que je ne pouvais plus continuer à lui imposer cela. Ce n'était pas à elle de me protéger… La prochaine fois, est-ce que c'est elle qui allait prendre un coup ?

Suis-je en capacité de la protéger de cela ? Et si Stéphane me tuait pour de bon, comment pourrais-je veiller sur elle ? Qu'adviendrait-il d'elle ?

Alors, ce soir, je m'empresse de préparer un sac où je glisse quelques affaires appartenant à Manon. Des culottes, quelques paires de chaussettes, un ou deux sweats et des pantalons. Je n'oublie pas quelques voitures en plastique qu'elle ne quitte jamais.

Pour moi, uniquement quelques sous-vêtements, un jean et deux pulls.

J'enferme le tout sous la baignoire après avoir enlevé le joint du regard, entre les canalisations de plomberie. Impossible que Stéphane découvre ma cachette.

J'y glisse également des papiers qui me serviront de porte de sortie. Même si Stéphane m'a confisqué mes papiers d'identité, je possède les justificatifs d'ouverture de compte que j'ai réalisé en cachette pour ma fille.

Je compte me rendre chez mes parents et tout leur expliquer.
Et déposer plainte.

En espérant que je serai entendue et qu'on l'éloignera de nous.

Le lendemain matin, Stéphane a prévu d'emmener Manon à la pêche. Elle adore passer du temps avec son père le dimanche matin. Il nous a annoncé au dîner qu'ils partiraient vers 7h du matin et que des amis le rejoindront sur place. Dans sa routine, après ses jours de pêche, il revient déposer Manon le midi et va fêter sa pêche avec ses potes, jusqu'à tard le soir.

Cela nous laisse plusieurs heures avant qu'il ne rentre.

Quelques heures pour fuir. C'est le moment. Je ne peux plus faire machine arrière. Il est temps que je ne cesse de regarder en arrière et que j'avance vers notre avenir à toutes les deux.

Mon pouls bat dans mes tempes et je dors très mal. Mais étonnamment, ce n'est pas la peur qui m'empêche de trouver le sommeil, c'est davantage l'excitation. Je repasse mon plan dans la tête comme un boucle sans fin et bien ficelée et je sens que cette fois-ci, ma vie va changer.

Lorsque j'entends la voiture qui emmène Manon avec son père à la pêche, je vérifie que mon sac se trouve toujours sous la baignoire et attends dans le salon, un livre posé sur mes genoux mais que je peine à lire avec le stress qui paralyse mes pensées.

Je regarde l'horloge toutes les trois minutes et je ne parviens pas à ralentir mon rythme cardiaque. Je réfléchis à l'accueil que je vais faire à Stéphane. Même s'il y a de grandes chances pour qu'il m'ignore et me dépose la petite sur le seuil de la porte. Même si cela ne dure que quelques secondes, lors de ce contact, je dois avoir un comportement irréprochable et surtout parfaitement habituel.

Lorsque j'entends la voiture dans l'allée, je ferme les yeux et souffle par petites inspirations pour me calmer et me transformer en femme docile qui attend à la maison, comme Stéphane en a l'habitude.

Le couvert est mis sur la table, comme Stéphane l'exige alors qu'il ne mange jamais avec nous... mais tout est fait pour que cela soit comme d'habitude.

Ce que je n'ai pas prévu dans mon plan, c'est l'horreur qui suit dans les secondes où Stéphane entre dans le salon.

Il s'agenouille devant moi en pleurant et glisse sa tête au creux de mon ventre tout en sanglotant et en répétant « pardon ». Sans vraiment réaliser ce qu'il est en train de se passer, je reste les yeux tournés vers la porte d'entrée, et un sentiment terrible m'envahit.

Manon devrait suivre en courant derrière lui. Manon devrait me raconter sa matinée avec un large sourire et en brandissant les photos de ses prises. Manon devrait me faire un câlin comme elle le fait à chaque fois. Mais Manon n'entre pas dans la maison. Et je ne me lève pas pour courir à la voiture et la rejoindre. Car mon inconscient a vite compris que quelque chose n'était pas normal.

Et pendant que Stéphane continue à mouiller mon tee-shirt de ses larmes, je perds connaissance.

Je ne verrai plus ma fille.

Et le sac rempli de belles promesses restera sous la baignoire.

23 avril 2019

37 ans

Les bruits de la machine qui trône au-dessus de ma tête me réveille. J'ouvre les yeux si doucement que j'arrive à distinguer le contraste entre l'obscur qui m'imprégnait jusqu'à présent et la clarté de la pièce dans laquelle je me trouve.

J'essaie de bouger mes doigts mais une douleur me lance et les bruits de la machine s'accélèrent. Ma vision est encore floue, en particulier d'un œil. Je tente de toucher ma paupière avec mon bras perfusé pour essayer de comprendre ce qui me gêne et je sens que mon œil est gonflé. Quand j'appuie dessus, un petit cri sort de ma bouche malgré moi. J'essaie de me redresser mais mon épaule me fait mal.

— Vous êtes réveillée ? Madame Tramier, ne vous inquiétez pas, vous êtes à l'hôpital. Vous avez eu beaucoup de chance vous savez !

Je sursaute et tend le menton vers la voix cristalline qui semble surgir de nulle part, sans voir nettement qui me parle. Les mouvements autour de mon lit me font penser à du personnel médical, ce que je confirme quand je sens que l'on m'enfonce un embout dans mon oreille qui bipe quelques secondes plus tard.

— Vous n'avez pas de fièvre. C'est bon signe. Après ces deux jours inconsciente, cela fait plaisir de vous revoir parmi nous.

Deux jours ? Cela fait deux jours que je dors ?

— La psychologue de l'hôpital va passer vous voir dans la matinée.

— Pourquoi ? parvins-je à murmurer même si ma bouche est pâteuse et que prononcer ce simple mot a nécessité beaucoup d'effort.

— Pour discuter, ne vous inquiétez pas, c'est son travail. L'idée, c'est de savoir si vous pouvez sortir sans danger.

Je pense soudainement à Stéphane. L'ont-ils arrêté ? Brutalement, je revois notre dernière dispute.

Cela a été violent. Car depuis quelques mois, je me rebelle. Je n'arrive plus à me faire taper dessus sans réagir. Alors, je l'insulte aussi, je le frappe parfois quand j'arrive à l'atteindre. Je me débats.

Après la mort de Manon, je suis devenue l'ombre de moi-même. Un véritable zombie sans émotions et sans vie. Nous avons déménagé car Stéphane a pensé que nous pouvions repartir à zéro.

La première année, il ne m'a plus touchée. Il ne m'a plus mal parlé. Il allait travailler, rentrait le soir, essayait de me faire manger, et se couchait. Et le même scénario repassait tous les jours.

J'aurais pu fuir. Plus rien ne me retenait. Mais en fait plus rien ne me retenait à la vie. Alors, quelque part je pense que j'attendais que ce soit lui qui sonne le glas de mes derniers instants.

Mutique, je me laissais sombrer. Seule ma mère s'acharnait à vouloir me sauver la vie. Même mon père semblait résigné. Tout le monde a souffert de la perte de Manon.

Mais moi, j'avais perdu ma seule raison de vivre.

L'absence était si atroce que cela me dévorait de l'intérieur à tel point que je n'y croyais pas et que je luttais entre réalité et fantasme.

Puis la violence est de nouveau entrée dans ma vie. Et il y a deux jours, c'était si excessif que je me suis dis que cette fois-ci, c'était lui ou moi. Ce soir-là, je me suis dit que cela ne pouvait plus continuer, qu'il fallait que l'un de nous deux gagne, et que l'un de nous deux perde...

Stéphane était malade et il ne pouvait pas s'en sortir seul. Il avait besoin d'aide, mais tant qu'il restait persuadé que le problème venait de moi, il n'en ferait rien.

— Madame Tramier, je suis psychologue, êtes-vous en état de discuter avec moi ?

Je me redresse sur l'oreiller en grimaçant et l'observe. Comme ma vision est plutôt floue, les traits de son visage ne sont pas très nets, mais elle semble jeune et sa voix est douce. Depuis que l'infirmière m'a accueillie à mon réveil, je ne fais que de me questionner sur ce qu'il advient de Stéphane. Après être tombée inconsciente, je n'ai aucune idée de comment je me suis retrouvée à l'hôpital.

— Je vous écoute. Mais avant, pouvez-vous me dire où se trouve mon mari ?

— Je n'ai pas l'autorisation de vous le dire, mais je sais que vous avez besoin de le savoir, alors je vais vous le confier, mais promettez-moi de rester calme.
Je hoche la tête en silence.

— Il est actuellement entendu au commissariat de police de votre commune.

— Je suis dans quel hôpital ?

— Vous avez été amenée à St Nazaire. Vous avez dormi pendant deux jours. A priori, vous n'étiez pas vraiment dans le coma car vous n'avez pas de traumatisme crânien. C'est d'ailleurs un miracle vu l'ensemble des coups sur votre corps. Le médecin a dit que vous vous en sortez avec un déplacement de clavicule et quelques côtes brisées. Vous êtes une miraculée.
Je touche ma paupière gonflée.

— Ainsi qu'un bel œil au beurre noir, ajoute-t-elle. Et des hématomes sur une bonne partie de votre dos et de vos cuisses.

Le bas de mon dos me fait souffrir alors je tente une position plus confortable. J'ai soif, mais je ne vois rien autour de moi qui pourrait me soulager. La psychologue semble comprendre puisqu'elle sort et revient rapidement avec un verre en plastique rempli d'eau fraîche. Je bois doucement de peur de m'étouffer.

— Votre mari va être libéré, madame Tramier.

— Pourquoi me dites-vous cela ?

— Si vous ne déposez pas plainte, il n'y aura aucune suite. Même la police ne peut rien faire. Il a été amené seulement parce que des voisins vous ont entendue crier. C'est lui qui vous a amené à l'hôpital avant-hier soir. Vous étiez inconsciente. Selon lui, vous seriez tombée...

— Mais attendez, déposer plainte pour quoi ?

Elle s'approche de moi et pose son classeur sur les draps.

— Madame Tramier. Vous avez besoin d'aide. Mais si vous ne saisissez pas cette aide, je ne pourrai rien faire. Et la prochaine fois, vous serez juste en face de l'hôpital, au cimetière.

Je frémis.

— Je ne comprends pas. Je suis tombée... je suis...

— Oui, dans les escaliers c'est ça ? Sauf que votre maison ne comporte pas d'escaliers madame Tramier. Et je ne crois pas vraiment à la version de votre mari, mais ça, je vous le dis uniquement entre vous et moi. Parce que j'ai déjà rencontré des tas de femmes comme vous. Depuis combien de temps cela dure ?

Je baisse la tête et fixe mes mains. Je ressens comme une boule de canon qui explose dans ma poitrine. Une sorte de couvercle qui repose sur tout ce que j'ai vécu depuis des années et qui meurt d'envie d'exploser.

— Est-ce que cette conversation restera entre nous ? Est-ce que vous êtes soumise au secret professionnel ?

— Oui, je suis soumise au secret professionnel, sauf si j'entends que mon patient est en danger, je n'ai pas d'autres solutions que d'alerter.

Elle doit sentir que je me replie immédiatement, car elle rajoute :

— Cependant, comme je connais un peu le système, j'ai un autre deal à vous proposer.

Attentive, je la regarde en soupirant.

— Je vous écoute, murmuré-je.

— Vous vous confiez à moi et je vais entendre des choses. Soit, vous décidez de porter plainte en sortant de l'hôpital et votre mari prend de la prison pour deux ans, soit vous acceptez ce que je vais vous proposer.

— Pourquoi faites-vous cela ? Demandé-je méfiante.

— Parce que j'ai lu votre dossier. Parce que je sais que vous êtes mariés depuis 17 ans. Et que j'imagine sans peine la durée de votre calvaire. Le problème avec la justice, c'est que cela sera sa parole contre la vôtre. Et, il ressortira. Il sera puni, mais il ressortira. Vous devez l'avoir en tête.

— Alors pourquoi me confier à vous si cela ne sert à rien ?

— Je n'ai pas dit que cela ne servirait à rien, je vous demande juste de vous préparer à la suite. Je vous propose une aide pour une autre solution que celle qui paraît la plus évidente.

— Je vous redemande, je ne comprends pas pourquoi. Pourquoi ne pas m'inciter à déposer plainte et on en parle plus. Pourquoi me proposer une autre solution ? Vous savez comme moi qu'il n'y a pas d'autres perspectives.

— Si, il y a une autre issue. Peut-être pas définitive, mais au moins pour vous laisser le temps de vous reconstruire, de reprendre des forces car si cela suit son court comme il est prévu que cela se déroule… Vous sentez-vous prête à affronter la justice ? À expliquer devant des juges et des « témoins » ce que vous avez vécu sans minimiser ? Sans lui chercher des excuses ? Car vous savez que tout ce que vous direz jouera sur la durée de la peine. Et cela jouera donc pour votre avenir. Et vous savez comme moi que les témoignages pleuvront en sa faveur. Vous n'êtes qu'une femme dépressive après avoir perdu son enfant… et lui il s'occupe de tout.

J'ai des frissons parce que ses mots sonnent tellement justes.

— Je continue à ne pas comprendre où vous voulez en venir.

— Je veux juste vous aider, tout simplement.

— Je n'ai jamais vu de psychologue qui propose un plan B à une femme battue !

— Parce que j'ai perdu une patiente la semaine dernière, affirme-t-elle sèchement.

Un silence opaque nous entoure brutalement.

— Une jeune femme de vingt huit ans. Battue pendant cinq ans par son compagnon. Elle s'est retrouvée à l'hôpital et comme vous je l'ai rencontrée. C'était il y a tout juste deux ans. Elle a déposé plainte. S'est reconstruit une vie. Puis, il est sorti de prison. Et il l'a défénestrée la semaine dernière, après l'avoir suivie jusque chez elle.

De nouveau un frisson me parcourt le corps et la nausée vient envahir le fond de ma gorge.

Peu de temps s'écoule avant que je ne prononce ces mots que je regrette immédiatement car je sais qu'ils vont m'amener dans un engrenage dont je ne maitrise rien.

— Alors, c'est quoi votre autre issue de secours ?

5 mai 2019

37 ans, vol vers l'Islande

Mes baskets glissent sur le trottoir humide que la pluie a inondé ces dernières 24 heures. Je regarde rapidement autour de moi et continue de tracer ma route d'un pas rapide sans me soucier de ce que je laisse derrière moi.

Ma démarche vive me coupe la respiration, mais je ne prends pas le temps de m'arrêter ou même de ralentir. Je n'en ai pas le droit. Tout est millimétré et je ne dois pas perdre de temps.

J'aurais aimé être davantage discrète et ne pas avoir à traîner ma valise noire derrière moi. Mais je n'ai pas vraiment le choix. C'est le minimum que je puisse emporter. On ne peut pas dire que je suis partie en faisant attention. J'avais très peu de temps pour réagir.

J'ai prétexté un mal de gorge pour que Stéphane, si prudent depuis ma sortie de l'hôpital, se rende à la pharmacie. Je savais qu'il ne me laisserait pas y aller seule. Suite à mon séjour aux urgences, il ne souhaitait plus qu'il m'arrive quelque chose et surtout, que je puisse de nouveau être confrontée au milieu médical.

Dès la fin de l'entretien avec la psychologue, j'avais appelé le commissariat et avait demandé à ce que mon mari soit libéré.

La machination était lancée. Je ne pouvais plus reculer.

Bien sûr que mon mari avait raison, j'avais chuté sur les marches du perron encore glissantes par la fraîcheur et l'humidité du matin. Bien évidemment, mon mari ne levait pas la main sur moi. Nous avions vécu un tel drame il y a quelques années en perdant notre fille, que nous aspirions juste à nous reconstruire.

Stéphane avait certainement été le premier surpris d'être relâché. Il était venu me chercher à l'hôpital, un énorme bouquet de fleurs à la main et un sourire plaqué sur son visage satisfait. La psychologue nous avait regardés nous éloigner et je n'avais pu m'empêcher de me retourner vers elle avant de franchir l'angle du couloir et de ne plus l'apercevoir.

Je n'oublierai pas ses yeux plissés et sa main posée sur le menton, son léger hochement de tête pour me faire comprendre qu'elle était à mes côtés.

Dans le taxi qui me conduit à l'aéroport, je serre, avec une force incommensurable, mon petit sac à main qui comporte les papiers qui vont me sauver la vie. Et de l'autre, la poignée de ma valise dont la trace vient imprégner la paume de ma main.

J'essaie de souffler discrètement histoire de donner un peu d'air à mes poumons et éviter que la tête ne me tourne du fait d'être trop en apnée. Je n'entends plus l'animation qui m'entoure, je suis dans une bulle de concentration extrême. J'ai tellement appris à maîtriser mes émotions que j'ai le sentiment d'agir comme un robot.

Je sais juste qu'il faut que je fasse vite. Mon plan défile dans ma tête telle une machination diabolique qui n'a qu'un seul objectif : sauver ma peau.

Il y a trois jours, seulement une semaine après ma sortie d'hôpital, je suis tombée sur un reportage à la télévision : des français qui s'installaient en Islande. Je connaissais évidemment ce petit pays au large du Groenland, mais je n'aurais jamais imaginé y mettre les pieds.

Alors, quand j'ai fait le lien avec la proposition de la psychologue, tout s'est précipité. Je ne devais pas perdre un instant. M'éloigner au plus vite, faire comprendre à mon mari que j'avais disparu. Me faire oublier et revenir plus forte pour le détruire comme il m'avait détruite.

Le temps qu'il descende à pied chercher mes médicaments à la pharmacie, qu'il s'arrête au PMU le temps de discuter avec les habitués, et qu'il remonte, j'avais calculé que je possédais à minima, 45 minutes pour aller le plus loin possible.

Ne pas me faire voir, partir en toute discrétion, mais le plus rapidement possible.

Il irait, soit à la gare, soit à l'aéroport, soit chez mes parents. Mais, même en se rendant immédiatement à l'aéroport, j'avais toujours 45 minutes d'avance sur lui. Car comme moi, il devrait prendre un taxi ou un bus, vu que j'avais pris le soin de dégonfler ses pneus avant de partir.

Lorsque j'atteins l'aéroport de Nantes, j'ôte les lunettes de soleil que je porte depuis mon départ de la maison mais décide de conserver le chapeau qui retient mes longs cheveux.

Je jette un coup d'œil rapide au tableau des départs et m'empresse de rejoindre le bureau des enregistrements.

Lorsque j'arrive auprès de la charmante hôtesse qui enregistre mon bagage, la sueur commence à perler sur mon front et dans le creux de mon dos. J'essaie de sourire mais la crispation sur mon visage doit se ressentir et j'ai peur de ne me faire arrêter.

Pendant tout le temps qu'elle saisit mon passeport et contrôle le poids de ma valise, je ne cesse de me dire que je n'aurais jamais dû suivre les conseils de cette psy que je ne connaissais pas.

Les battements de mon cœur résonnent jusque dans ma tête. J'essaie de ne rien laisser transparaitre, mais je me sens espionnée et dévisagée, avec cette horrible impression que je ne maîtrise plus rien.

L'hôtesse lève soudain la tête pour m'observer, jette un regard sur mon passeport, penche la tête légèrement, regarde son collègue sur le comptoir à côté, puis finit par me dire :

— Bon voyage mademoiselle Vanport.

Je soupire de soulagement et saisis le passeport qu'elle me tend, les traits de mon visage soudainement relâchés.

Je récupère mon billet et ne peux m'empêcher de regarder mon nouveau passeport.

Au revoir Liséa Tramier, bienvenue Faustine Vanport.

Troisième partie

Chapitre 18

« Si vous voulez une vie heureuse, attachez-la à un but, et non pas à des personnes ou des choses » Albert Einstein

Je me retourne dans les draps, le corps humide de transpiration, étirant mes jambes le plus grandement possible.

Un sentiment étrange m'envahit. Comme si toutes les cellules de mon corps se renouvelaient. Je n'ai plus l'habitude d'écouter ce type de sensation et en cet instant, il se trouve que mon corps se réveille en me lançant des signaux aussi agréables que violents.

Étonnement, cette nuit passée auprès de Fabien m'a rendue vivante, mais a également ravivé cette blessure si profonde qui était ancrée depuis tant d'années.

Comme un film dont j'étais la spectatrice mais où aucun enjeu ne me retenait jusqu'à la fin de l'histoire. Or, j'avais bien conscience qu'il allait falloir que je me confronte à son dénouement.

Ma rencontre avec Fabien n'était pas vraiment prévue au programme et je m'en voulais d'avoir baissé ma vigilance.

Pourtant, en prenant un peu de recul, il est certain que j'atteignais l'objectif que je m'étais fixé en fuyant ici.

En quelques semaines, j'avais appris à vivre pour moi et c'était tout ce que j'espérais. Je n'oubliais pas ma fille pour autant, mais je m'étais éloignée du feu de la violence. J'avais mis de la distance entre Stéphane et moi dans le simple but de me sauver et de me reconstruire.

Une main se met à caresser mon dos et je sursaute avant de me retourner face à Fabien qui m'observe tendrement.

— Pas de regret beauté ? lance-t-il avec un clin d'œil taquin.

— On roule des mécaniques ? Tu peux baisser ton armure jeune homme.

— Jeune homme ? Tu me flattes !

Il éclate de rire, passe sa main dans mes cheveux et se lève en tenue d'Adam pour traverser la pièce et ramasser son tee-shirt gisant sur le sol.

Pendant qu'il s'habille en silence, je me sens soudainement vulnérable et je crains de dépendre à nouveau d'un homme. Je n'imaginais pas reprendre si facilement contact avec la chair d'un autre homme. Après tout ce que cela pouvait représenter pour moi, je m'étais clairement laisser surprendre par mes hormones.

Reprenant un air légèrement fermé, je me lève également et rejoins ma chambre à l'autre bout de la pièce afin de m'habiller, toujours dans un silence presque religieux.

Je m'approche de la fenêtre. Le brouillard est toujours présent malgré la luminosité qui essaie de percer derrière les nuages gris.

Les nuances qui se dégagent du paysage sont superbes. J'imagine facilement la température extérieure et sans même ouvrir la fenêtre, je frissonne. Je me sens comme dans un cocoon dans cette chambre, et je voudrais que le temps s'arrête.

Ces dernières années ont été terribles. A tel point, que je ne savais plus qui j'étais vraiment. La manipulation faisait partie de mon quotidien et la perte de ma fille a fini par achever ce qui restait de vivant en moi.

Aujourd'hui, l'Islande me fait l'effet d'une armure de protection. Un sentiment de courage qui ne m'animait plus depuis longtemps.

Seule ombre au tableau, le fait que je me sois laissé attirer par un homme. Ce n'était clairement pas le moment... De plus il ignorait tout de moi, hormis la perte de Manon. De ce fait, notre relation était loin d'être saine et j'avais déjà donné dans ce genre de catégories.

— On prend le petit déjeuner avant de reprendre la route ?

Je me retourne, le visage toujours aussi soucieux. En me voyant, le sourire de Fabien retombe immédiatement. Mais il a la délicatesse de ne pas m'en parler et le petit déjeuner se déroule dans des échanges de banalités sur la suite de notre petite escapade.

Lorsque nous arrivons à Akureyri quelques heures plus tard, le ciel est magnifique et je tombe immédiatement amoureuse de ce petit village entouré de Fjords.

L'ambiance dans la voiture avait été plutôt lourde, aucun de nous deux ne souhaitant revenir sur cette nuit passée ensemble. Pourtant, je n'avais jamais ressenti les émotions qui m'avaient traversée cette nuit. Contrairement à son image parfois arrogante, Fabien avait été doux, patient, drôle et respectueux.

Je m'étais laissé aller à ce désir et cette sensualité qui m'avait déstabilisée dès les premiers instants. Je me sentais idiote d'avoir mis une distance entre nous, mais en même temps, il ne faisait pas non plus le pas vers moi. Alors nous restions tous deux emplis d'une gêne étrange qui planait dans l'habitacle.

Avant de prendre possession de notre location, Fabien a la bonne idée de faire un arrêt à la maison du père Noël. Le paradis des enfants mais aussi celui d'adultes comme nous, en demande de lâcher prise.

Dans cet endroit, la magie opère immédiatement. C'est une toute petite boutique lorsque l'on pénètre à l'intérieur mais ses deux niveaux font scintiller notre âme d'enfant. Nous passons plus d'une heure à admirer tour à tour : un casse-noisette géant, une énorme boîte aux lettres en bois ou encore des centaines de boules de Noël toutes plus originales les unes des autres.

Les rayons sont cosy et répartis par couleurs. La chaleur qui s'en dégage me donne envie de m'asseoir dans un fauteuil à bascule et de rester ainsi pendant des heures. À plusieurs reprises, je sens le regard amusé de Fabien me dévisager et je souris.

Cette parenthèse enchantée, où la complicité entre nous deux a refait surface, me fait un bien incroyable et je me sens flotter dans une espèce de chaleur douce à mon cœur.

D'humeur légère, nous nous garons devant la résidence où nous allons poser nos bagages pour deux nuits avant de revenir à notre cottage en bois. Cette échappée m'est bénéfique. Je sens ma reconstruction progresser pas à pas, aussi doucement que ma chute avait été violente.

J'entrouvre la porte de l'appartement avec cet espoir au fond de mon cœur qui me pousse à rester confiante en l'avenir. Le logement est moderne, spacieux et offre une vue magnifique sur le fjord.

Je sors sur le balcon pour observer les voitures qui se dirigent vers le centre-ville et n'entends pas Fabien arriver dans mon dos.

Il me tend un soda que j'accepte volontiers.

— Il fait plutôt doux, amorcé-je dans le genre, profonde discussion.

— Oui, nous sommes sortis de l'est un peu sombre et humide.

— C'est encore un tout autre paysage, c'est vraiment magnifique.

Des palpitations et des sensations plutôt chaudes m'envahissent quand Fabien me serre par la taille.

— Ça me rend fou ton silence et ta distance. Tu m'expliques ? me demande-t-il en me fixant de son regard intense.

Fabien n'est pas une beauté froide avec le look d'un mannequin placardé sur les vitrines. Il est tout l'opposé de Stéphane, à savoir, Fabien est sauvage, terriblement sexy et charismatique.

Le contact de son corps contre le mien me fait perdre pied et je tremble à l'idée de céder de nouveau à ses avances.

Alors, je préfère reculer, mais je suis bloquée contre la rambarde du balcon et ne vois pas d'autres solutions que de lui répondre.

— Je ne sais pas si c'était judicieux.

— De quoi ? De coucher avec moi ? Dis les mots, Faustine ! Affronte-moi bordel, plutôt que de me fuir depuis ce matin !

Il a dit cela sans agressivité, avec une fermeté doucereuse malgré le poids des mots prononcés.

— Ce n'est pas que je regrette quoi que ce soit... c'était vraiment très bien...

— Je t'en prie, Faustine, on n'est pas à « L'école des fans » où j'attends une note après ma prestation.

Je suis surprise de sa référence et me retiens de rire pour ne pas le vexer.

— Je suis mariée Fabien ! Je ne te l'ai jamais caché !

— C'est vrai... mais est-ce que tu es vraiment heureuse ? S'il te rendait heureuse, est-ce que tu serais ici ?

J'ai terriblement envie de le rassurer, envie de lui raconter mon histoire, mais j'en ai honte, et je ne veux surtout pas qu'il soit au courant que je suis en fuite et que Faustine n'est pas mon véritable prénom.

Chapitre 19

« Le bonheur n'est pas toujours dans un ciel bleu, mais dans les choses les plus simples de la vie » Confucius

Devant mes propos, plutôt que de me relâcher et de s'éloigner, Fabien resserre son étreinte et se met à m'embrasser dans le cou.

Tout mon corps frissonne et le bas de mon ventre me fait mal tant j'ai envie de céder à mes pulsions. Je ne sais pas comment je trouve la force de le repousser, mais j'y parviens et rentre précipitamment à l'intérieur de l'appartement. Fabien me suit et reste me fixer, attendant très certainement des éléments de réponse.

Je m'apprête à lui parler, puis me retiens, soupire et m'isole dans la chambre pour appeler ma mère que je n'ai pas eue depuis trois jours et qui va me pourrir de ne pas avoir donné de nouvelles.

J'attends quelques secondes pour être certaine que Fabien ne rentrera pas dans la pièce et quand je l'entends me dire, à travers la porte, qu'il va faire quelques courses pour ce soir, je suis soulagée.

La tonalité se veut rapide avant que je n'entende le souffle de ma mère.

— Ma fille, mon Dieu, enfin tu m'appelles !

— Maman, tu exagères ! D'accord, cela fait trois jours que l'on ne s'est pas parlé mais en même temps je suis une adulte, je te le rappelle.

— Ce n'est pas ça ma chérie… Il s'agit de Stéphane ! Il a débarqué avant-hier à la maison. Ton père lui a tout de suite dit que cela ne servait à rien de nous demander où tu étais, que nous ne savions rien.

— C'est gentil, maman. Cela m'ennuie de vous mettre dans cette situation, je t'assure que…

— Ma fille, écoute-moi. Il nous a répondu en rigolant d'une voix assez spéciale, qu'il savait où tu étais ! Qu'il a fait appel à ses sources, qu'il sait que tu as pris l'avion et pour quelle destination.

Mon sang se glace immédiatement dans tout mon corps. J'essaie rapidement de me convaincre qu'il ne peut aucunement savoir où je suis et qu'il bluffe, mais je ne peux m'empêcher de craindre tout de même qu'il me retrouve.

— Ma chérie, tu m'entends ? Allo ? Tu es toujours là ? Je ne comprends pas pourquoi c'est si grave qu'il sache où tu te trouves… parle-moi, explique-moi ce qu'il se passe. Je l'ai trouvé vraiment étrange… je suis inquiète ma chérie.

Je n'arrive plus à prononcer un mot. Je le voudrais. Mes lèvres tentent pourtant d'articuler quelque chose, mais la force que je ressentais depuis quelques semaines vient de prendre ses jambes à son cou.

— Ma chérie, la voix de ma mère se met à trembloter, je suis vraiment inquiète. Dis-moi pourquoi Stéphane ne doit pas savoir où tu es ? Dis- moi pourquoi tu t'es vraiment enfuie ? Ce n'est pas qu'à cause de Manon ?
Ma voix file comme dans un léger souffle, si peu audible que je crains que ma mère ne me comprenne pas.

— Maman, ne t'en fais pas. De toute façon, il ne peut vraiment pas savoir où je suis.

— Je sais que tu vis des moments difficiles et que je t'avais promis de ne plus te poser de questions, mais je ne sais pas, il y a quelque chose que ton père et moi n'avons pas senti.

Je mets le haut-parleur, n'ayant plus la force de tenir le téléphone et m'allonge sur le lit en fermant les yeux.

— Qu'est-ce que tu n'as pas senti maman ?

— Stéphane n'était pas comme d'habitude…tu sais au début, je me suis dit que je me faisais des idées. Mais quand il est parti et qu'il nous a laissés seuls, ton père m'a tout de suite dit qu'il ressentait qu'un truc clochait. Stéphane n'avait pas le même regard que d'habitude. Déjà, au début, lors de ton départ, il avait été très agressif envers nous. Je ne l'avais jamais vu ainsi. Mais j'avais mis cela sur le dos de la colère. Aujourd'hui, je ne sais pas dire…tu ne crois pas que tu devrais rentrer ? Te savoir loin me terrifie.

— Maman, je ne peux pas rentrer… Et Stéphane ne doit pas me trouver…

— Dis-moi pourquoi, Liséa ! Je n'en peux plus de ces cachotteries, je suis ta mère, je t'ai mise au monde !

Entendre mon prénom, peu entendu depuis des semaines, me fait frémir. Je me retrouve face à ce que je ne voulais surtout pas affronter. Enfin, pas si vite. Ma mère semble sincèrement affolée et je ne voudrais pas qu'elle fasse un malaise par ma faute. Je lui ai déjà causé assez de soucis, alors dans un souffle, je murmure :

— Je ne peux pas rentrer maman, car Stéphane… Stéphane n'est pas celui que tu penses… Stéphane est dangereux… Et si je rentre, il me tuera…

Un silence terrible s'abat le temps de quelques secondes. J'imagine très bien ma mère sous le choc. En l'espace de quelques secondes, elle doit se demander si les mots que je viens de prononcer sont bien réels, si elle n'a pas mal compris ce que j'ai voulu dire. Et entendre la voix de mon père au fond de la pièce, me rassure. Elle n'est pas seule pour entendre ce que j'ai à dire, pour devoir faire face à ce que toute mère doit appréhender. Découvrir que la vie de sa fille n'était qu'une comédie. Ou pire, un drame.

— Ma fille, dis-moi que ce n'est pas vrai... pourquoi dis-tu qu'il peut te tuer. Seigneur, ce n'est pas possible... Stéphane est un gentil garçon. Il est en colère parce que tu l'as abandonné. Sa réaction est compréhensible.

— Maman, il est en colère depuis des années... et j'ai malheureusement été confrontée à cette colère d'une manière... brutale...

— Que veux-tu dire, Liséa ? Je n'ai pas pu passer à côté de ça... non, non ce n'est pas possible.

— Malheureusement si, maman. Tu n'es pas responsable, tu ne pouvais pas savoir...
J'entends mon père crier derrière et ma mère finit par lui passer le téléphone.

— Liséa ! C'est papa ! Est-ce que c'est vrai ce que tu dis ? Est-ce que Stéphane t'a vraiment fait du mal ?

— Oui, papa. Je ne pensais pas un jour le verbaliser mais je suis ce que l'on appelle une femme victime de violence conjugale...

— Mais ce n'est pas vrai, hurle mon père. Depuis quand cela dure-t-il ? Pourquoi tu n'as rien dit ! Gisèle, laisse-moi finir, je ne m'énerve pas sur elle, excuse-moi d'être juste terriblement en colère !

— Papa, je ne pouvais pas en parler... j'étais sous son emprise... Il m'aurait vraiment tué si je m'étais confié à vous. Et, je ne voulais pas vous mêler à tout cela. Je suis responsable de mes choix et de mes erreurs.

— Depuis quand ? insiste-t-il.

— Depuis notre emménagement ensemble…

— Mon Dieu…soupire-t-il… Et Manon ?

— Il n'a jamais levé la main sur Manon… je ne l'aurais jamais laissé faire…

— Je vais le tuer.

La voix rauque de mon père indique qu'il ne plaisante pas.

— Papa, ne dis pas ça ! C'est toi qui auras des problèmes. Il a des relations partout… ma seule chance de m'en sortir était de fuir. De reprendre des forces et une capacité mentale pour l'affronter à mon retour. Déposer plainte, et ne rien lâcher, aller jusqu'au bout. Mais dans l'état où je me trouvais il y a seulement quelques mois, cela m'était impossible. C'est la psychologue de l'hôpital qui m'a encouragée à le faire. Cet éloignement m'a aussi permis de retracer le fil de ma vie, de chercher ce qui pourrait m'appuyer dans mon dépôt de plainte et faire qu'il aille en prison. Mais je sais aussi qu'un jour il sera libéré et ma vie sera de nouveau en danger. Il n'acceptera pas de perdre, papa. Et c'est ce qui me fait peur…

— Mais tu ne peux pas fuir éternellement ! Nous allons t'aider. Il peut te retrouver là où tu es ?

— Non c'est impossible. J'ai changé d'identité. Je ne circule plus sous le nom de Liséa. Et là où je me trouve… je suis si isolée qu'il ne peut pas savoir où je suis.

— Tu en es certaine ? Il avait l'air si sûr de lui…Tu dis qu'il possède des relations ! Il aurait pu voir à l'aéroport les caméras de surveillance et savoir où tu te rends !

Cette hypothèse est soudainement si réaliste, que je ressens une oppression dans la poitrine et peine à reprendre mon souffle.

Stéphane possède tellement de relations haut placées qu'il est capable de tout obtenir… Je ferme les yeux si intensément que j'en ai mal aux cils. Je voudrais tellement tout effacer…

— Je ne sais pas…tout ce que je peux vous promettre c'est que c'est fini. Je ne me ferai plus avoir. Je me battrai pour ne plus me retrouver à ses côtés.

Ma mère reprend le téléphone, en sanglotant.

— Comment c'est possible… comment on a pu te laisser vivre ça, sans même le voir. Il était tellement gentil avec toi quand on se voyait, pleure ma mère.

— Ces hommes-là sont forts maman… personne ne pouvait se douter… moi-même j'ai essayé de partir à plusieurs reprises, mais n'y suis jamais parvenue.

— Mais là où tu te trouves, tu es isolée, et s'il arrive jusqu'à toi ?

— Je ne suis pas vraiment seule. J'ai rencontré quelqu'un… mais ne t'inquiète pas maman. Il ne me retrouvera pas. Je vais te donner mon numéro de portable et tu pourras me joindre s'il vous recontacte.

Mais par contre, je ne veux pas vous dire dans quel pays je suis, car je ne veux pas qu'il fasse pression sur vous.

— Je voudrais tellement te prendre dans mes bras, ma fille… je suis tellement désolée…

— Maman, ne sois pas désolée. Le seul connard dans l'histoire c'est lui. Je ne suis plus la même, maman. Je suis plus forte. Ne t'en fais pas, et on se donne des nouvelles, je te le promets.

— Prends soin de toi, je t'en supplie…

— Je te promets, maman. Je vous embrasse fort.

J'appuie sur l'icône du téléphone rouge pour raccrocher et m'appuie à l'aide de mes coudes sur le matelas pour m'asseoir. Je tremble et ressens une nausée importante qui me prend dans le haut de l'estomac. Je m'apprête à me lever pour me précipiter à la salle de bain afin de rendre la bile qui me reste sur l'estomac mais la porte de la chambre s'ouvre brusquement et Fabien me fait face, croisant les bras sur la poitrine.

Je sais tout de suite qu'il sait.

Son visage semble être à la fois en colère et inquiet. Ses sourcils expriment bien sa déconvenue.

— Tu as tout entendu ? murmuré-je.

— Une bonne partie… en tout cas suffisamment pour savoir que tu ne t'appelles pas Faustine et que tu m'as donc menti. Je m'interroge juste pour savoir si c'est moi le connard ou s'il s'agit de ton mari. Liséa, c'est ça ?

Chapitre 20

« J'ai reconnu mon bonheur au bruit qu'il a fait en partant »
Jacques Prévert

Je tremble tellement que Fabien part immédiatement me faire chauffer un thé et me l'apporte sur le lit d'où je n'ai pas bougé. Il dépose le plaid qui ornait le fauteuil de la chambre sur mes épaules et s'assoit à quelques centimètres de moi.

Et pendant la demi-heure qui suit, je lui raconte tout. Je ne peux plus garder mon histoire pour moi, à présent qu'il en a entendu des bribes. J'aurais pu continuer à m'embourber dans le mensonge, mais je n'en possédais plus la force. J'étais prête à assumer le fait de salir mon image et perdre ainsi le seul ami que j'ai eu depuis des années.

Mon débit est plutôt posé. Je laisse des instants de pause de temps à autre pour lui permettre de me poser des questions, mais il ne s'en saisit pas et fait le choix de ne pas m'interrompre.

Son visage reste impassible, même lorsque je décris quelques scènes de violence que j'ai subies.

— Je pensais que la mort de Manon me permettrait enfin de prendre mon courage à deux mains et de quitter le domicile. Mais bien au contraire, il a resserré son emprise sans même que je réalise que la toile s'était davantage tissée sur chacun de mes gestes. Puis, je voulais sans cesse lui donner une autre chance. Il souffrait de la mort de notre fille… je pensais que cela le ferait changer. Et de mon côté, j'avais tellement perdu le goût de vivre, que peu m'importaient les coups qu'il me faisait subir. Mais il y a deux mois, j'ai cru mourir. À la différence des autres fois, où peu m'importait d'y laisser ma vie, la psychologue de l'hôpital m'a fait comprendre que j'étais encore jeune et que je pouvais reprendre les choses en main. Que ma fille méritait mieux que de me laisser captive tout le reste de ma vie. Et me voilà donc en Islande.

Je cesse pour de bon de prendre la parole, l'intégralité des grands axes de ma vie étant dévoilée. Fabien reste le regard perdu sur le sol. J'ose le dévisager et guette la moindre de ses réactions, mais son visage reste impassible. Pour autant, je ressens à travers son sweat, pourtant à manches longues, que ses muscles sont tendus.

Je suis gênée et ne parviens pas à savoir ce qu'il peut ressentir et surtout, si je le dégoûte. Alors plutôt que de garder pour moi mes craintes, je lui pose directement la question.

Il lève alors son visage carré vers moi et je capte enfin son regard emprunt d'humidité au coin des yeux.

— Comment peux-tu penser que TU me dégoûtes ? Je n'arrive juste pas à croire que ce type d'hommes puisse exister.

Soulagée par sa réaction, je relâche mon dos et m'enveloppe davantage du plaid en velours. Fabien ose alors poser délicatement la main sur ma cheville qui dépasse de la couverture.

Il déglutit avant de prendre la parole, de manière douce :

— Tu as eu de nouveaux papiers d'identité ?

— Oui. La psychologue m'a aidée. De Liséa, je suis passée à Faustine. Je ne voulais pas qu'il puisse me rechercher à l'aéroport.

— Tes parents disent qu'il sait où tu te trouves ?

— Oui, à priori. Mais il a aussi pu les mener en bateau pour démêler le vrai du faux. J'ai du mal à croire qu'il sache quel vol j'ai pris. Il y en a tellement qui décollent chaque jour.

— Tu disais qu'il connaissait du monde. Il connaît du monde à l'aéroport ? Il aurait pu te faire suivre ? Faire semblant de sortir et te suivre ?

— Oui, il aurait pu... mais il m'aurait retrouvée avant ! Là, je suis persuadée que s'il a vraiment découvert quelque chose, c'est récent.

— Donc, il ne t'a pas suivie. Et tu ne t'es jamais servie de la carte bancaire de votre foyer ? Même pour la location de ta voiture ?

— Si, mais avec une carte bancaire dont il n'a pas connaissance. J'avais ouvert un compte pour Manon. Je suis persuadée qu'il n'est pas au courant de son existence.

— Alors, il n'y a pas de raison. Tu vas continuer ton séjour, et, il soupire, je suis là de toute façon.

— Tu n'es pas là pour me protéger Fabien. Je ne t'ai pas confié mon histoire pour que tu me serves de garde du corps. De toute façon, je vais devoir rentrer chez moi un jour... Et il est hors de question que quiconque soit mêlé à cette vie.

Fabien se lève et traverse la pièce pour aller à la cuisinette. Puis, il revient vers moi et détourne son visage.

— De savoir qu'un homme est capable de telles atrocités me rend dingue...

Il effectue des allers et retours comme un lion dans une cage. Je suis terrifiée à l'idée de l'avoir déçue. Avoir verbaliser cette histoire, mon histoire, deux fois de suite m'a complètement dépourvue d'énergie.

— Fabien, pourquoi n'oses-tu pas me regarder ?

— Je n'aurais jamais pensé que cela puisse t'arriver... qu'on puisse lever la main sur toi...

— Et pourtant, tu ne connais rien de moi. Personne n'est jamais vraiment à l'abri de ce genre de rencontres.

— C'est idiot, mais tu es une femme intelligente, qui semble avoir un fort caractère… je pensais que ces salauds ne s'intéressaient qu'à des femmes fragiles…

Il continue de ne pas me regarder et reste les yeux fixés sur la baie vitrée menant sur le balcon terrasse.

— Je te le redis, tu ne me connais pas. Quand nous nous sommes rencontrés, j'étais vraiment une fille timide, je n'avais pas confiance en moi. Il m'a apporté tout ce dont une femme comme moi pouvait rêver. J'avais vraiment le sentiment d'être une princesse, les premiers temps…

— Je comprends en tout cas…

— Tu comprends quoi ?

Il s'approche de moi et m'affronte enfin.

— Je comprends ta méfiance… tes moments de silence… quand tu sembles perdue dans tes pensées… entre ta fille et ton mari, la perte de ma sœur et mes problèmes d'inspiration sont bien ridicules… et j'ai osé me plaindre…

— Tu ne t'es pas plaint, tu m'as expliqué. Et je t'en remercie. Tu te retrouves à m'écouter…, une fois de plus… Navrée de t'avoir caché mon lourd passé.

Je finis par m'esclaffer de la situation, penche la tête en avant et tente d'étouffer un rire à l'aide de ma paume.

— Qu'est ce qui te fait rire ? me demande-t-il, les sourcils froncés.

— Nous deux, parviens-je à rire.

— Quoi, nous deux ?

Je détends mes jambes et les fais pendre le long du matelas.

— Quel pourcentage de chance nous avions de nous trouver ? Avec nos deux vies complètement chaotiques !

Je ne peux m'empêcher de rire devant les circonstances plus qu'insolites de notre rencontre. Mon rire devient contagieux et le visage de Fabien finit par se détendre le temps de quelques instants.

— Comment vois-tu la suite ? Tu dis que tu vas devoir rentrer chez toi. Mais et lui ?

Je me ressaisis et mon sourire s'efface pour prendre un air plus sérieux. Non pas que je ne me sois jamais penchée sur la question. Bien au contraire, j'y ai pensé avant même de quitter la France. Je ne dis pas que j'ai forcément trouvé les réponses. À priori, je voulais juste me retrouver, apprendre à vivre seule pour me reconstruire après tous les obstacles que la vie avait parsemés sur ma route. À l'époque, je n'imaginais pas que cela allait fonctionner. Que j'allais retrouver une certaine force pour me battre réellement et prendre ma vie en main. J'avais imaginé que je me comporte comme un ermite qu'on ne retrouverait jamais. Mais c'était sans compter la présence ce Fabien dans l'équation.

— Je sais que je ne peux pas fuir toute ma vie. Maintenant, il me fait peur. Et pour l'affronter, je dois être forte.

— Je ne veux pas être désagréable, mais tu ne fais pas le poids face à un homme pareil ! Tu as déposé plainte ?

— Non, je compte le faire à mon retour. La psychologue a conservé toutes les traces de mes dernières blessures. Après, déposer plainte ne va pas le mettre en prison… et pendant ce laps de temps je dois être loin de lui, loin de son emprise. Je pensais retourner vivre chez mes parents, je n'ai pas beaucoup d'autres choix. Même si je n'ai pas envie de les mêler à tout cela. Ils y sont malgré eux en fait…

— C'est surtout qu'il peut t'attendre partout…

— Je sais bien Fabien… c'est ce qui me fait le plus peur… mais je sais que s'il me voit forte, si la femme fragile s'est évaporée, je ne lui apporterai plus grand-chose…

— Je m'y connais peu en homme détraqué… il n'y a pas moyen que tu sois protégée ?

— Non, je ne pense pas que mon cas intéresse beaucoup la police... En fait, je préfère ne pas y penser... je suis désolée Fabien de t'avoir menti.

— Tu ne m'as pas menti, tu ne m'as rien dit, ce n'est pas pareil...

— Si je t'ai menti sur mon prénom...

— Liséa, c'est chouette, dit-il en me lançant une œillade coquine.

Je rougis et tourne la tête pour observer la pièce. Pendant quelques secondes, mon esprit s'évade sur les blessures de mon passé et j'ai envie de regarder en avant.

Mon regard se fixe de nouveau sur Fabien et sans se parler, juste avec un sourire en coin, il s'approche de moi, appuie ses lèvres sur les miennes et s'empresse de se blottir contre moi, ôtant au passage le plaid qui m'enveloppait.

C'est ça, regarder en avant...

Chapitre 21

« Être heureux, c'est décider de voir la magie dans votre vie et en créer davantage » David Laroche

Fabien vient m'envelopper de ses bras, pendant que le bateau prend le large vers la mer de Norvège et je repose naturellement ma tête contre son épaule. Cela me procure instantanément des picotements sur le crâne, sensation plutôt agréable. Même si nous sommes équipés de combinaisons épaisses qui doublent notre enveloppe corporelle, le contact avec lui me donne des frissons et je me sens bien.

Pour autant, un sentiment de culpabilité vient parasiter cet instant de quiétude. En l'absence de ma fille, je m'étais promis de ne plus jamais être heureuse et que je n'avais plus le droit d'atteindre ne serait-ce qu'une once de douceur.

Mon esprit enchaîne aussitôt sur le fait que je ne devrais peut-être pas me laisser autant aller auprès d'un homme... Que je devrais être échaudée et prendre mes distances avec la gent masculine jusqu'à la fin de mes jours. Mais je me rassure rapidement car je sais au plus profond de moi-même que Stéphane et Fabien n'ont rien en commun. À ses côtés, je ne ressens pas ce sentiment d'infériorité dont j'étais prise en présence de Stéphane dès notre rencontre.

— Regarde là-bas !

Fabien vient de me lâcher et pointe l'horizon à l'aide de son doigt. Je plisse les yeux pour tenter de comprendre ce qu'il veut que j'observe mais sur l'étendue d'eau bleu marine qui s'agite devant nous, je ne vois rien.

Quand soudain, un bruit me fait tressaillir et l'ensemble des personnes présentes sur le bateau se met à crier dans des langues toutes différentes. Fabien me presse alors l'épaule et à l'aide de sa main, tourne mon visage légèrement sur la droite. Et seulement là, je les aperçois.

La projection en hauteur d'un jet d'eau tout d'abord, puis deux énormes masses grises qui courbent leur dos et finissent par laisser retomber leurs magnifiques queues dans un mouvement à la fois puissant et somptueux.

— Waouh, murmuré-je, c'est un truc de dingue !

Le capitaine du bateau nous annonce alors que nous venons de croiser deux baleines à bosse. Je me retourne vers Fabien, les yeux pétillants de joie et replonge le regard vers l'horizon pour essayer de capter une autre baleine.

La promenade dure plus de deux heures, et pendant ce temps nous croisons huit autres baleines ! Le temps est alors suspendu, un silence impressionnant plane dans le bateau puis des cris d'extase lorsqu'un mouvement sort enfin de l'eau. Cette sincère cohésion entre tous les passagers fait plaisir à voir et chacun profite de son moment comme un instant précieux et magique.

— Elles peuvent rester jusqu'à vingt minutes avant de remonter à la surface, m'explique Fabien.

— Tu avais déjà assisté à ce spectacle ?

— Et bien non, même pas ! Par contre je suis allé au musée de la baleine, au centre de Husavik. Tu sais que l'Islande est un des meilleurs endroits au monde pour les observer ? C'est à cause des courants froids et chauds qui se croisent dans l'atlantique nord. En plus, les eaux islandaises sont riches en poissons de tout type !

Je peine à entendre les informations de Fabien, tant le vent souffle dans mes oreilles. Puis, je continue de fixer l'horizon, même si le bateau a déjà fait demi-tour pour rejoindre le port de Husavik.

En silence, je reste immobile, le regard porté sur l'église de Husavik qui commence à se dessiner devant nous. C'est une des plus belles églises que j'ai vues jusqu'alors. Son étonnante façade en bois blanc, rouge et vert domine le panorama du port et lui donne des airs d'église suisse.

Derrière elle, des montagnes légèrement arrondies recouvertes d'un nuage blanc laiteux sur lequel se réfléchissent les rayons du soleil.

Fabien me tend un gobelet en carton et une espèce de feuilleté roulé dans un essuie-tout. Je le regarde en souriant, essayant de ne pas me laisser envahir par mes angoisses qui sont très présentes depuis l'échange avec mes parents. La crainte de voir ressurgir Stéphane me terrifie, mais je lutte pour profiter de ces petits instants fantastiques.

— Spécialité d'ici ! Un roulé à la cannelle et sa tasse de chocolat chaud.

Enthousiaste à l'idée de me ravitailler et de me réchauffer, je m'empresse de porter le gobelet à mes lèvres, mais ne peux m'empêcher d'être déçue ! Rien à voir avec nos chocolats chauds à la crème ! Cela doit être noyé à l'eau. Par contre, le roulé est très bon et cela réchauffe délicatement mon petit cœur blessé.

Le lendemain matin, nous reprenons la route. Une légère tension reste palpable. Physiquement, on peut dire que je suis tendue... Mon dos se contracte à chaque souvenir du passé et donc à chaque pensée qui m'amène à revoir le visage de mon mari.

Je me pose énormément de questions sur la suite et m'inquiète de savoir quelles décisions je vais devoir prendre pour me protéger mais aussi pour cesser de fuir.

Je regarde Fabien et me demande également quelle place je suis prête à lui laisser dans cette histoire.

Il est clair qu'il me plaît. Gentil, touchant et terriblement charmant, dans une autre vie, je m'y serais accrochée telle une bouée de sauvetage.

Aujourd'hui, mon cœur est brisé et j'ai besoin de repos avant de m'engager dans une autre relation. En en aucun cas je ne souhaite lui imposer cette imposante valise qui me sert de passé.

Sentant mon regard sur lui, il tourne la tête vers moi, me sourit tendrement et attrape ma main en douceur pour caresser mon poignet.

— Raconte-moi l'adolescente que tu étais ! me lance-t-il.

Etonnée au premier abord, je réalise qu'il essaie de me ramener à des choses positives. Me prenant au jeu, je replonge avec enthousiasme dans mes souvenirs d'enfance.

— J'étais une princesse pourrie gâtée, rigolé-je.

— Tu n'en as pourtant pas l'air, répond Fabien en fronçant les yeux.

— Une fille unique avec deux parents aimants, il y a pire ! Franchement, je n'étais pas à plaindre. Je ne me suis pas forcément sentie seule. Mes parents étaient très présents. On ne peut pas dire que j'étais une adolescente fun ! Une fille bien élevée, ramenant des bonnes notes à la maison afin d'avoir des compliments de mon père. Et à côté de cela, je lisais beaucoup ! C'était mon échappatoire à une vie un peu trop classique très certainement ! j'étais passionnée de littérature classique. Emile Zola me faisait rêver à travers « le bonheur des dames », et « l'éducation sentimentale » de Gustave Flaubert me transportait dans des histoires d'amour à la fois classiques et excitantes !

— Effectivement, je comprends mieux l'adolescente pas trop fun !

Il éclate de rire. Je lui donne un coup d'épaule dans le bras, légèrement, afin qu'il ne lâche pas pour autant le volant, mais je souris, car il a parfaitement raison.

— Qu'est ce qui fait que tu te sois orientée vers une école de tourisme.

— Le goût du rêve ! Établir des plans avec des gens vers des destinations où je n'irai jamais, c'était passionnant ! Enfin, au début. Dans les faits, je feuilletais des catalogues avec eux et rentrais des informations dans un logiciel. C'est la première fois que je voyage réellement en fait. Et j'ai trente-sept ans… prononcé-je tristement. Quand j'ai eu Manon, j'ai vraiment eu envie de lui apporter tout ce que je n'avais pas vécu. C'était sans compter sur son père qui la couvait à l'extrême et qui surveillait le moindre de mes gestes. Et toi, tu as toujours été écrivain ?

— Non, je n'ai pas toujours été écrivain. J'étais flic avant…

Ma salive se retrouve alors bloquée et je manque de m'étouffer.

— Je ne pensais pas que cela te ferait cet effet, évoque Fabien d'un ton moqueur, une fois que je termine de tousser.

— C'est vrai, je ne m'y attendais pas ! Tu ne ressembles pas à …

— Je ne ressemble pas à l'image que tu te fais d'un flic ? C'est quoi l'image que tu en as ? Un homme de cinquante cinq ans avec un gros ventre, qui mâche son chewing-gum et qui est très loin de savoir écrire quoi que ce soit ?

— Pourquoi tu ne me l'as jamais dit ?

— Tu ne me l'as pas demandé ma chérie, ironise-t-il.

Il me lâche la main pour se concentrer sur la route mais son sourire étrange ne quitte pas son visage. Je pouffe bêtement.

— Non, je ne sais pas, je n'imaginais pas, c'est tout, c'est idiot.

— Maintenant, tu dois te demander pourquoi j'ai tout quitté avant de pouvoir bénéficier, encore jeune, d'une retraite confortable ?

— Non, pas vraiment... enfin maintenant que tu le dis...

— Le décès de ma sœur. Ça a tout changé...

— J'imagine... tu as perdu foi en ton métier ?

— Bien plus que ça... J'ai tellement pété un plomb de savoir que personne ne voulait faire d'enquête, que j'ai fini par faire mes propres recherches et que je me suis gentiment fait virer lorsque mon patron l'a découvert.

— Tu avais quel grade ?

— Lieutenant... j'étais positionné sur les enquêtes criminelles à Paris. Je sais que j'ai déconné quand j'ai voulu trouver ce qui était arrivé à ma sœur. J'étais tellement malheureux. J'étais persuadé qu'elle avait été assassinée et cela m'obsédait. J'ai fait connerie sur connerie, allant jusqu'à piquer des pièces à conviction. Bref, de toute façon, ce n'était plus pour moi. J'ai été suffisamment écœuré par la gestion de cette enquête.

— En même temps, tu étais directement concerné, donc ce n'est pas simple... et du jour au lendemain tu es devenu écrivain ? Parce que tu m'as expliqué que tu avais loupé le rendez-vous avec ta sœur à cause de ton éditeur.

— Oui, j'écrivais depuis un moment, sur mon temps libre. Lorsque j'avais vécu une enquête difficile, j'aimais écrire. Quand ma sœur est morte, c'était mon deuxième bouquin qui marchait vraiment bien et celui-ci promettait de me projeter un peu plus haut. Mais peu importe, ma carrière de flic était terminée depuis bien longtemps. Plus rien ne correspondait à mes convictions au final. On n'a pas eu de chance, Marie et moi. Nos parents n'étaient pas ce que l'on peut appeler, exemplaires. Alors, on a toujours vécu l'un pour l'autre, apprenant à se débrouiller et à compter uniquement sur notre intelligence pour s'en sortir. Mon père buvait beaucoup... et ma mère était bien trop faible pour l'aider à s'en sortir. Dès que nous avons atteint notre majorité, nous avons quitté notre bulle familiale toxique. J'ai pensé qu'en entrant dans la police, je pourrais empêcher ce genre de famille se détruire.

— Waouh... tu n'as pas eu une vie simple toi non plus..., chuchoté-je en le regardant avec compassion.

Il tourne de nouveau la tête vers moi, laissant son attention sur la route quelques centièmes de seconde pour me fixer intensément.

— Je n'ai pas d'enfant, mais perdre un enfant est ce qu'il y a de plus terrible. Et ce que tu as vécu avec cet homme est bien pire que ma pauvre petite vie.

— De toute façon, nous ne sommes pas vraiment là pour mesurer la noirceur de notre passé !

— Tu as raison, appuie-t-il.

Le ton de notre conversation pour le reste de la route est plus léger. Une nuit nous attend de nouveau à Seydisjfordjur. Demain, nous serons de retour dans notre petit cottage. Une once de nostalgie m'envahit.

Je ne sais pas pourquoi, mais ce retour me fait craindre la décision ferme que je vais devoir prendre. Je dois garder de l'avance sur Stéphane pour ne pas me retrouver devant le fait accompli. Je dois préparer mon plan d'attaque...

Dans la chambre qui avait vu le rapprochement physique de nos deux corps pour la première fois, je fixe le plafond, la tête posée sur le torse de Fabien. Il respire fortement depuis plusieurs heures, pendant que moi, je tourne en rond. Enfin, mon esprit tourne en rond. Une fois de plus, notre rapprochement a été intense. Je n'ai jamais vécu un tel flot d'émotions. Ce n'était pas seulement du désir incontrôlable. Il y a une telle puissance lorsque nous faisons l'amour que cela me rend vulnérable. Et pourtant, je me sens protégée pour la première fois de ma vie. Lorsque je suis contre lui, et que nos peaux sont en contact, il n'y a aucune once d'insécurité qui me parcourt.

Au fond de moi, je sais que je dois rentrer en France et qu'il est préférable que je laisse Fabien derrière moi. Et rien que d'y penser, cela me déchire le bout de cœur qu'il me reste.

— Toi, tu n'as pas bien dormi ?

Nous revoilà tous les deux dans la voiture, à quelques heures de route seulement du cottage près de Höfn. Ma tempe collée contre la vitre, je suis pensive.

Je regarde Fabien tendrement et moi qui n'ai jamais été vraiment tactile, je décolle ma tête de la vitre pour la poser sur son épaule.

— J'ai beaucoup réfléchi.

— À quoi ? À la suite, j'imagine ?

— Oui, soupiré-je. Je dois être certaine de ce que je vais faire en rentrant. Je suis bien consciente que je ne dois pas rester cachée éternellement. Ce n'est pas juste, et ce serait me manquer de respect, une fois de plus.

— Je suis là si tu as besoin, tu sais ?

— Oui, je le sais. Mais c'est mon histoire.

— J'espérais faire un peu partie de ta vie, maintenant que... mais bon, en même temps je comprends... Tu ne me dois rien.

— J'ai besoin de temps Fabien. Tu me plais beaucoup... mais j'ai trop de choses à régler d'abord.

— En tout cas, n'essaie pas de tout régler toi-même. Si tu te sens plus forte à présent que tu es loin de lui, j'en suis content et je suis fier de toi. Mais, n'oublie pas que c'est une personne manipulatrice qui a toutes les raisons de te terroriser vu le passif que tu as avec lui.

— Ne t'inquiète pas, je serai prudente.

Naturellement, je m'éloigne de son épaule et nous reprenons la route en silence. Lorsqu'il allume la radio, j'ai conscience de l'avoir vexé, voire blessé. En même temps, à quoi m'attendais-je ? Je viens de lui faire comprendre que malgré son soutien depuis des semaines, je ne souhaite pas l'intégrer dans la suite des évènements.

Il fait encore jour lorsque nous arrivons devant nos petits chalets. Je suis surprise, car devant chaque chalet, hormis les nôtres, trône une voiture.

— Ça y est, nous sommes en pleine saison ?

Fabien penche la tête pour observer les autres chalets en se garant.

— Oui, c'est toujours complet jusqu'en septembre maintenant.

Le visage de Fabien est toujours fermé. Il porte ma valise jusqu'à ma porte d'entrée et gênée, je lui demande s'il veut entrer.

— Non, je vais rentrer vider mon sac et me coucher. Toute cette route en si peu de jours m'a crevé. Et puis, je dois bosser un peu quand même. Avec tout ça, je n'ai pas vraiment avancé.

Je ressens une peine immense en voyant son visage empli de tristesse, même si je ne parviens pas à capter son regard. Il baisse les yeux à chaque fois que je tente une approche. Je ne sais pas quoi lui répondre alors je me contente de hocher la tête, le cœur serré. Je m'attends à ce qu'il m'embrasse, mais il n'en est rien et il repart vers son cottage, sans même me regarder.

Je referme la porte délicatement et observe mon environnement qui me semble si familier à présent. Je ne suis pas mécontente de m'asseoir quelques instants, également épuisée par la route même si je ne conduisais pas. Je suis surtout lessivée de toutes ces émotions ressenties en quelques jours et je ne parviens pas à cesser de penser à Fabien.

D'un coup de talon, j'enlève mes chaussures, me jette dans le canapé, mets les pieds sur la petite table et ferme les yeux.

Un coup frappé à la porte me fait sursauter et en souriant, je m'empresse de rejoindre l'entrée, la joie de revoir son visage me donnant des palpitations.

— Tu as oublié quelque chose ?

Mon sourire s'efface aussi vite qu'il est apparu et un vent glacial pénètre dans tout mon corps à la vitesse de l'éclair.

— Toi, Liséa ! Je t'ai oublié, toi ! Et, je suis content de t'avoir retrouvée.

Ce n'est pas Fabien qui se tient devant moi, mais bel et bien Stéphane dont le ton de la voix me fait frémir. Et il avance vers moi de telle sorte que je m'enfonce dans mon abri, qui ne me sert plus vraiment de lieu de protection à présent.

Chapitre 22

« *Tu dois réapprendre à te souvenir, sans te laisser bloquer par la peur* » *Mathias Malzeau*

Fabien

Peu enclin à sortir de chez moi, je culpabilise de ne pas aller voir Liséa. D'ailleurs, je ne me fais pas vraiment à son véritable prénom, ni à l'histoire qu'elle m'a racontée.

Ces derniers jours ont été particulièrement intenses. Ce début de relation est bien trop compliqué pour que je m'y investisse et je devrais cesser d'envisager une suite à tout cela. Pourtant, mon esprit ne cesse de repenser à la première fois que je l'ai rencontrée et ne parviens pas à enlever de mon cerveau son visage si doux avec ses mèches qui descendent délicatement le long de ses joues. Ses yeux marron, pétillants avec quelques grains de vert et de doré qui me perturbent, même à distance.

Je peine à admettre que je suis rapidement tombé fou amoureux d'elle. C'est tellement difficile à expliquer. Ce qu'elle dégage se situe entre la fragilité et la force. Et c'est ce qui m'attire le plus chez elle. Bien au-delà de sa beauté physique. Je ne sais pas si j'ai réellement déjà éprouvé cela pour une femme. Mais, mon côté rationnel me dit que ce n'est pas le moment, ni la bonne personne pour moi. Beaucoup trop d'emmerdes en perspectives et je n'ai clairement pas besoin de ça.

Alors quand, hier, elle m'a fait comprendre qu'elle ne me laisserait pas vraiment de place dans sa vie, je me suis refermé comme une porte blindée. Et là, je suis comme un con, devant mon écran d'ordinateur. Le curseur clignotant au début de la page et qui n'avance pas, ainsi qu'une tasse de café près du clavier qui a refroidi depuis longtemps.

J'ai cessé de fumer depuis longtemps et pourtant je meurs d'envie de m'en griller une. Mais vu l'endroit où nous nous trouvons je peux laisser cette envie de côté. Le temps de trouver un tabac me fera certainement passer cette pulsion.

Je jette un rapide coup d'œil vers la baie vitrée. Les chalets sont tournés de telle sorte que l'on ne voit pas l'intérieur de l'autre logement. Pas de vis-à-vis. Parfait pour le respect de l'intimité ! Et pourtant, j'aurais payé cher pour observer Liséa déambuler dans son salon.

C'est fou de ressentir cela. Je ne pensais pas être en capacité de laisser une femme prendre autant de place dans mon cœur d'ours solitaire. Elle est tellement géniale, gentille, et magnifique.

Comment peut-on oser lever la main sur une femme ? Comment ce salaud a pu lever la main sur elle ? Cela me donne la nausée et je décide d'un geste rageur de fermer le clapet de mon ordinateur.

J'ai mal dormi et j'ai une sorte de poids qui me barre le front. J'ai tourné en rond, m'empêchant à chaque instant de rejoindre le cottage voisin. De la serrer dans mes bras et de ne plus la quitter pour la protéger et lui montrer que tous les hommes ne sont pas des enfoirés comme son ex-mari.

Je finis par enfiler une veste, mettre ma paire de baskets et sors prendre l'air parce que j'étouffe trop entre ces murs. Je fixe le chalet de Liséa et suis immédiatement déçu de ne pas la voir sortir pour venir à ma rencontre. Je l'imagine avec un léger sourire sur son visage.

En même temps, que doit-elle penser de moi ? Je lui fais l'amour et je lui ramène sa valise comme un pauvre type un peu vexé. Je me suis conduit comme un abruti.

Lorsque je rentre, deux heures plus tard, après une marche qui n'a pas fini d'apaiser mes tensions, la voiture de Liséa n'est toujours pas revenue. Je croise le propriétaire que je salue de la main mais qui s'avance vers moi en souriant.

— Hello, monsieur Fabien. Vous allez bien ?

Depuis le temps que nous nous connaissons, je constate chaque année qu'il progresse dans la langue française.

Nous restons quelques minutes à parler météo, puis, je ne sais pas comment, mais il vient à me dire que ma voisine est partie définitivement ce matin. Alors, sans aucun contrôle, mes mains se mettent à trembler. Partie ? Pour de bon ? Liséa ? Je ne comprends pas et je suis persuadé qu'il se trompe. Alors, je m'empresse de lui dire au revoir et marche discrètement jusqu'au chalet afin de m'approcher des baies vitrées qui me laissent apercevoir l'intérieur. Je me retourne pour vérifier que je suis bien seul puis, je porte mes mains en visière contre la vitre et observe effectivement que le salon est vide. J'ai la sensation que le sol tremble mais je suis rapidement envahi par un sentiment de colère.

Comment a-t-elle pu partir sans même me dire au revoir ? Nous avons partagé près de deux mois ensemble, à défaut d'être l'homme de sa vie, j'avais vraiment cru percevoir un intérêt de son côté.

Furieux et affecté, je me dirige vers la porte de mon cottage. Il va être l'heure de manger, et je me sens vide. Comme les émotions qui pouvaient parfois me traverser avant de la rencontrer. Sans aucun sens qui m'anime pour au moins finir le reste de la journée.

Je retire mes chaussures et les pose près du paillasson lorsque j'aperçois un papier sous celui-ci.

Une écriture hâtive, des lettres petites et rondes qui semblent avoir été dessinées dans la précipitation. Je connais peu l'écriture de Liséa donc, je ne peux pas m'y fier, mais à la lecture de ces mots, il n'y a plus aucun doute.

« Fabien, navrée, je pars. Il m'a retrouvée. On décolle demain de Keflavik. Pas le choix, ce soir, hôtel à côté de l'aéroport. Bonne continuation à toi. Merci pour ce que tu m'as apporté. »

Depuis la vision de sa disparition jusqu'à la lecture du mot, mon cœur affolé ne parvient pas à redescendre et je sens mon pouls fébrile. Merde, il l'a retrouvée ! Comment ce salaud a-t-il fait ?

Je suis effrayé à l'idée qu'il puisse lui faire du mal, je n'ai jamais eu l'allure d'un prince charmant, mais un seul regard à ma montre me fait réagir et je rechausse mes baskets en quatrième vitesse avant de grimper dans ma voiture et de repartir vers le seul hôtel qui se trouve proche de l'aéroport. Il y a six heures de route, je n'ai pas une seconde à perdre.

Si elle m'a laissé ce message, c'est aussi un appel à l'aide et il est hors de question que je laisse ce mec l'approcher de nouveau.

De la savoir seule avec lui me rend malade et je n'ai jamais conduit aussi vite sur cette route qui me mène à elle.

Je suis étonné moi-même de ma réaction si vive et spontanée, mais sans réfléchir, je claque ma langue contre mon palais, nerveusement et je prie pour qu'il ne lui soit rien arrivé, les mains crispées sur le volant.

Chapitre 23

« Fort est qui abat. Plus fort est celui qui se relève » Anonyme

Je ne parviens pas à bouger mes doigts qui se sont crispés sur mes genoux. Mes pouces s'enfoncent dans ma peau comme pour me faire plus mal que ce que je peux ressentir en ce moment.

Stéphane qui conduit à mes côtés sifflote gaiement, la radio en fond sonore. Il ne me regarde pas, alors, de temps en temps, mon œil gauche tente de zieuter rapidement les traits de son visage pour savoir à quoi je dois m'attendre, mais son expression est hermétique.

Cette nuit, il m'a tout raconté. Avec fierté, il m'a expliqué comment il m'a retrouvée. Un de ses amis, agent de sécurité à l'aéroport, a réussi à m'apercevoir sur les images qui, mises bout à bout, lui ont révélé mon lieu d'embarcation.

Ensuite, avec la pugnacité que je lui connais bien, il a fait toutes les agences de location de voiture à proximité de l'aéroport, se faisant passer pour un mari qui ne parvenait pas à retrouver sa femme qui n'avait plus de téléphone et qui devait être désespérée de l'attendre.

À croire que les Islandais sont moins méfiants qu'en France. Parce qu'à Lava car, on lui a rapidement confirmé que j'avais loué un 4*4 blanc. Quant à trouver précisément ma location, il a appelé l'ensemble des hébergements de la route N°1. Cela lui a pris des semaines m'a-t-il évoqué avec jouissance. Cela me paraît tellement surréaliste d'imaginer que tout cela soit vrai. Et pourtant, il est bien là devant moi.

Hier soir, il aurait pu se défouler sur moi, pour me faire payer tout cela. Mais il n'en fût rien. Il avait parlé, parlé et encore parlé.

Puis, tard dans la nuit, il a évoqué le fait que nous allions partir le lendemain et qu'il fallait que je me repose vu la tête que j'avais. Dans son regard, j'ai perçu qu'il ne fallait pas que j'insiste. J'ai hésité tellement de fois à me glisser dehors dans la nuit et courir dans le cottage de Fabien pour m'y réfugier... Mais d'une, Stéphane ne dormait que d'un œil dans le salon, et de deux, je n'avais aucune envie de mêler Fabien à tout cela. Qui sait comment il aurait réagi ? Je ne dis pas que physiquement il ne faisait pas le poids face à Stéphane. Ils avaient à peu près la même corpulence. Mais Stéphane avait une rage indescriptible, que moi seule avait vue se manifester, quand il était hors de lui.

L'attachement que j'avais envers Fabien me donnait juste envie de le protéger et de le laisser en dehors de tout cela. Lui aussi, avait déjà eu sa part de souffrance. Pour autant, prétextant rendre les clés au propriétaire ce matin, j'avais glissé un mot à Fabien sous son paillasson. J'ignorais s'il allait le voir à temps. Et ce qu'il en ferait. Je n'avais pas réfléchi en l'écrivant. Ce n'était qu'une façon de lui dire au revoir. Inconsciemment, ou pas, je voulais qu'il sache que je ne l'avais pas quitté de mon plein gré. J'étais terriblement inquiète qu'il ne voie jamais ce mot.

J'étais en plein paradoxe du fait de ne pas vouloir le mêler à mes problèmes et en même temps de lui lancer cet appel à l'aide en espérant au plus profond de moi qu'il me sorte de là.

Je ne supporte plus d'entendre Stéphane chantonner allégrement comme si rien ne s'était passé ces derniers mois, alors je ferme les yeux, et j'essaie de me concentrer sur les moments de bonheur que j'ai ressentis en Islande, aux côtés de Fabien.

Je laisse défiler tous ces paysages, les pleurs et les rires, ces moqueries et cet amour naissant. Malheureusement, tout finit par prendre fin car nous sommes arrivés et les souvenirs s'évaporent en même temps que la façade de l'hôtel apparait si nettement devant mes yeux.

L'hôtel se trouve, comme prévu, juste en face de l'aéroport. Il n'y en a qu'un seul d'où l'on peut vraiment y aller à pied.

Je ne sais pas ce que j'attends vraiment. Fabien va-t-il me rejoindre ? Et en même temps, pourquoi ? A quoi cela servirait-il ? Et que ferait-il ?

Je n'ai de toute façon aucune autre possibilité que celle de rentrer. Ce qui me fait peur, c'est que je n'ai pas vraiment réussi à préparer mon plan d'action et j'appréhende de ne plus avoir cette force qui commençait à grandir en moi, une fois que j'aurai posé les pieds en France.

Nous montons dans notre chambre et Stéphane ne cesse de me toucher, passant son bras autour de ma taille, caressant ma joue, puis mes cheveux. Il ne me quitte pas une seule seconde.

Cette emprise qu'il a sur moi de manière tellement sournoise me donne envie de vomir.

En arrivant dans la chambre, je lui dis que j'ai besoin de me rafraîchir et file à la salle de bains. Méfiant, il fronce les sourcils, hoche la tête et ferme la porte à clé derrière nous. Ce simple geste me fait frissonner. Je n'ai aucune possibilité de m'enfuir. Et d'ailleurs, ce n'est plus mon intention. C'est fini, je cesse de fuir.

Le sourire de ma fille chérie vient imprégner mon esprit et je souris également, puisant dans cette force pour affronter cet homme qui, j'en suis certaine à présent, n'a plus aucune influence sur moi.

Après avoir dîné, nous montons nous coucher, le vol est à 6h50 le lendemain, il n'est donc pas question de traîner. Lorsque je me glisse dans le lit, Stéphane me rejoint et rabat la couette sur nous. Je frissonne et une sueur froide vient me saisir. La nuit précédente, je n'ai pas eu à subir sa présence, puisqu'il faisait le guet dans le salon.

Aujourd'hui, j'ai perdu l'habitude de faire semblant, j'ai perdu l'habitude de me laisser faire, alors inconsciemment je cesse de respirer, ou du moins je me tiens en apnée, guettant le moindre de ses gestes avec appréhension.

Malheureusement, ce que je craignais arriva. Il commence à glisser sa main sur mes cuisses et une nausée de dégoût me saisit.

— Stéphane, s'il te plait, non.

— Ce n'est certainement pas toi qui vas décider de ce que j'ai le droit de faire. Je te rappelle que tu es ma femme et que je ne t'ai pas vue depuis longtemps. Je vais devoir me rattraper.

Sa voix est rauque et grave. Je réfléchis à ce que je peux faire sans me mettre en danger, mais son approche devient plus rude et il se tient si fermement contre mon corps que je ne peux plus bouger. C'est clair que face à son gabarit, je ne fais pas le poids. Je ne veux plus subir cela, alors les larmes coulent le long de mes joues, mais cette fois-ci ce sont des larmes de rage et de colère.

— Stéphane, je t'ai dit que je ne voulais pas alors lâche moi !

Je tente de me dégager en donnant des coups de pieds dans ses tibias, mais il me tient bien trop fermement.

— Tu crois, que tu ne mérites pas une petite punition après m'avoir fait courir comme ça pendant des mois !

— Arrête Stéphane, il faut que tu te soignes, tu me fais mal. On ne peut plus vivre ensemble.

Ses caresses cessent immédiatement et il me retourne violemment pour que je me retrouve face à lui. J'essaie de maîtriser mes tremblements, et de lui montrer que je n'ai plus peur de lui. Mais, honnêtement, mes superbes convictions prises depuis mon arrivée en Islande fondent comme neige au soleil.

Les traits de son visage dans la pénombre semblent si durs que j'ai peur que la moindre de ses gifles ne me provoque un traumatisme crânien.

Il faut alors que je réagisse vite. Que je ne perde pas mes moyens.

La porte est fermée à clé. La clé est dans la poche de sa veste qu'il s'est empressé de mettre sous sa taie d'oreiller. Tout est calculé et impeccablement millimétré pour qu'il maîtrise le moindre de mes gestes.

Il faudrait donc que je l'assomme suffisamment fortement pour qu'il perde conscience. Le problème, est que je n'ai pas grand-chose en ma possession pour l'assommer, et que pour cela, il faudrait aussi qu'il me libère les deux poignets qu'il tient fermement pendant que ses jambes exercent tout leur poids sur les miennes.

— Tu ne me fais plus peur, parviens-je à prononcer, essayant de maîtriser les irrégularités de ma voix.

— Ah, bon, et depuis quand ? Depuis que tu as fui ? Pourtant, tu sais ce que je peux faire de toi.

— Tu ne t'en sortiras pas Stéphane ! Si tu me tues, tu iras en prison, c'est ce que tu souhaites ?

Il éclate de rire avec un accent provocateur.

— Ma pauvre fille, tu crois vraiment que je pourrais être inculpé si une fille comme toi disparaissait alors que, je le rappelle, c'est toi qui as choisi la fuite ! Personne ne se poserait aucune question. Je prendrais soin d'informer tes parents que tu nous as abandonnés tous les trois, et que tu as décidé de vivre ta vie sans nous. Qui s'enquerra de venir te chercher ici ?

— Toi, tu l'as bien fait ! Pourquoi es-tu venu ici ?

— Pour te donner une seconde chance, Liséa. Ou devrais-je dire Faustine puisque c'est comme ça que tu t'appelles ici, ricane-t-il. Tu sais, une fois que j'ai découvert ta destination, et les papiers que tu as présenté à l'embarquement, ta psychologue a passé un mauvais quart d'heure. C'est elle qui t'a filé l'adresse pour les faux papiers n'est-ce pas ? Je me suis tout de suite

méfié vu le temps qu'elle passait avec toi à l'hôpital...
même si j'aurais dû réagir plus vite...

— Que lui as-tu fait ?

— Je lui ai juste fait passer l'envie de recommencer,
crois-moi !

Je comprends immédiatement que, vu la
résistance que j'ai présentée à le suivre, il ne me laissera
pas repartir vivante...

Mon cerveau tente alors de reconnecter
l'ensemble de mes neurones de défense et je puise toutes
mes forces pour le repousser de mes jambes menues, lui
mords la main qui entravait mon poignet, puis, j'attrape
la lampe posée derrière ma tête, sur le petit chevet.

Elle n'est pas très épaisse, voire peut-être pas
suffisamment solide pour faire des dégâts, mais c'est ma
seule infime chance de me tirer de là.

Le coup sur sa tête résonne très peu sur l'instant.
J'observe en tremblant sa réaction, mais je constate
rapidement qu'il n'est pas inconscient, alors je frappe de
nouveau, le plus fortement possible.

Il me lâche alors les deux mains, j'en profite pour
me dégager tout en continuant de taper là où je peux, en
poussant des cris libérateurs.

Une vague de haine imprègne l'ensemble de mon
corps et je suis devenue incontrôlable. Je suis en mode
automatique et n'ai aucun souvenir de ce que j'ai fait la

seconde d'avant, je me contente de suivre ce que mon cerveau me dicte, sans me poser de question.

Je parviens, je ne sais pas comment, à attraper la carte magnétique de la chambre sous l'oreiller et cours, pieds nus, en pyjama vers la porte d'entrée.

Derrière moi, j'entends Stéphane gémir, je sais que je n'ai que quelques secondes d'avance et qu'il va me courir après.

Nerveusement, en tremblant comme une feuille, je débloque la fermeture de la porte de la chambre et m'élance dans le couloir comme une dératée. Je m'en veux de ne pas avoir suffisamment observé où était l'ascenseur et où se trouve la cage d'escalier. Bien heureusement, la porte avec le pictogramme des marches se trouve presque en face de la chambre et je m'y engouffre, me rattrapant à la rambarde chaque fois que mes pieds glissent sur les marches tant mon rythme est rapide. Je crois que je pourrais même y plonger pour me rendre directement au rez-de-chaussée.

Encore heureusement, nous nous trouvons au premier étage, et je me retrouve vite dans le hall de réception. À première vue, il n'y a personne. Je n'ai aucune idée de l'heure qu'il est, mais je sais que du personnel est généralement présent 24h/24h, et je suis terrifiée de constater que personne n'est là pour se dresser entre lui et moi.

Je me trouve dans le hall, pieds nus, en sueur, avec l'horrible sensation que Stéphane va rapidement me rejoindre et il est hors de question que tous ces efforts ne servent à rien.

Je stoppe mon élan près de l'accueil et reste tétanisée. Je suis en nage tant le stress me paralyse et mon corps lutte pour rester debout.

Des éclats de voix me font subitement tourner la tête, inquiète de savoir si Stéphane est déjà en bas à quelques mètres de moi. Mais cela provient des bureaux derrière le comptoir de réception.

Je m'avance précipitamment vers ces voix qui semblent assez fortes, lorsque j'entends Stéphane me hurler dessus. J'ai l'impression que mes jambes sont au ralenti et que je n'arrive pas à avancer aussi vite que je le voudrais.

Je me retourne vers lui, il tient une serviette tâchée de sang sur sa tête, et ses yeux semblent être sortis de leurs orbites.

Je suis figée et comme une idiote, je reste plantée devant le comptoir ne sachant où me réfugier. Lorsque j'essaie de l'escalader pour m'éloigner de lui, deux personnes sortent enfin des bureaux. Une jeune femme surprise de ma présence, pousse un cri en me voyant glisser de l'autre côté de la réception, puis jette un œil vers celui qui me poursuit et se met à crier des choses que je ne comprends pas.

— Liséa !

Je glisse du comptoir jusqu'au sol et trébuche en ne parvenant pas à me réceptionner sur mes pieds, mais deux solides paires de bras viennent me rattraper et je découvre le visage de la personne qui vient de m'appeler par mon véritable prénom.

Il ne s'agit pas de Stéphane, car il est arrivé à notre hauteur et l'énorme comptoir en marbre noir se dresse entre nous deux. Une main chaude vient se poser sur ma joue et je me précipite contre la poitrine de Fabien qui me tient à bout de bras. Essoufflée, mon ventre se soulève avec une telle force que j'ai peur de ne plus parvenir à respirer.

Chapitre 24

« Fais de ta vie un rêve et d'un rêve une réalité » Antoine de St
Exupéry

Un plaid sur mes épaules, j'observe les gyrophares qui se reflètent dans le sas de l'entrée de l'hôtel et les fixe jusqu'à leur totale disparition. Je me sens dans un état second que mon corps est complètement engourdi. Des milliers de fourmillements me parcourent les membres.

À quelques mètres, un policier échange encore avec Fabien et je soupire en constatant que cette fois-ci, c'est terminé.

Ils ont été clairs. Stéphane va être rapatrié en France et la police islandaise a demandé à ce qu'il soit jugé pour tentative de meurtre. Mon dépôt de plainte expliquant également ce que j'ai pu subir ces dernières années, va certainement faire en sorte qu'il passe quelques années en prison.

Fabien était venu. Il avait vu mon mot et s'était précipité à mon secours.

Je reste le dévisager jusqu'à ce qu'il se retourne vers moi. Il tapote l'épaule du policier et vient à ma rencontre.

— Comment te sens tu ?

Il s'assoit près de moi, sur un de ces fauteuils baroques qui prennent place dans le hall.

— Je ne sais pas trop quoi dire… je devrais être soulagée… mais j'ai eu tellement peur.

— Tu as été si forte… Tu lui as tenu tête et tu as gagné. Il ne viendra plus te pourrir la vie, crois-moi.

Je me contente de le regarder en hochant la tête, les yeux brillants de larmes.

— Liséa, murmure-t-il chaudement, je… tu…

Il m'attrape les mains qu'il glisse entre les siennes qui ont conservé leur chaleur de tout à l'heure.

— Oui, demandé-je.

— Non, rien, soupire-t-il. J'ai eu peur, tellement peur qu'il t'ai fait du mal.

— Je m'en sors bien, le rassuré-je, quelque peu déçue de sa phrase. J'aurais voulu qu'il m'embrasse. Qu'il me dise qu'il m'aime… que je me sente comme une princesse sauvée du méchant monstre. Sauf que nous ne sommes pas dans un conte de fées. J'ai bien conscience qu'avec une histoire aussi lourde, je ne peux pas l'imposer à un homme. Ce qui vient de se produire doit me servir de leçon.

Je dois poursuivre ma reconstruction, en France. Je dois continuer à me battre contre moi-même. Affronter la perte d'un enfant qui va me suivre toute ma vie, mais qui doit aussi m'amener à vivre cette vie sans elle. Et surtout, ne plus jamais m'approcher de types comme Stéphane.

Et pour cela, Fabien doit rester derrière moi, j'en suis persuadée.

— Tu vas devoir continuer à être forte lors de l'audience. Le policier islandais m'a dit que ce ne serait pas simple. Surtout qu'il semble avoir une belle place en France, avec des témoins qui iront peut-être à l'encontre de ce que tu évoques.

— Oui, je sais. Je vais avoir besoin de force. Mais je ne suis pas seule. Mes parents seront à mes côtés.

Une fois de plus, ne pas l'inclure dans mes projets me torture et je constate sur son visage que ce n'est pas simple pour lui également.

Il lâche alors mes mains et m'invite à aller me reposer dans une chambre mise à notre disposition par l'hôtel.

Je ne me rendors pas. Et lorsque le lendemain matin pointe son nez, je sais que Stéphane est dans l'avion. Sans moi. Je sais que je m'en suis sortie. Je suis vivante et je suis consciente que ce séjour en Islande m'a sauvée et a fait de moi une autre femme. Mais une sorte d'aigreur amère persiste au fond de ma gorge.

Je me lève du lit où je n'ai pu fermer l'œil après les évènements de la veille et m'approche de la fenêtre. Ce paysage va terriblement me manquer. J'espère retrouver cette forme d'apaisement à mon retour, auprès de mes parents.

Je tourne la tête pour regarder la chambre et constate que Fabien n'est pas là. Une grosse couverture est laissée à l'abandon sur le fauteuil en cuir de la chambre.

Pendant que mon esprit s'évade, quelqu'un toque à la porte et Fabien pénètre dans la pièce, un sourire charmeur l'accompagne et me remplit de douceur.

— Tu n'as pas réussi à dormir j'imagine ?

Je secoue la tête et il me tend un gobelet en carton.

— J'ai été te chercher un café à l'aéroport. Je suis bien conscient que ce n'est pas suffisant pour te remonter le moral, mais un peu de caféine dans ce joli corps devrait au moins te maintenir éveillée ces prochaines heures.

— Je te remercie beaucoup.

Je porte mes lèvres à la tasse tout en restant le regarder.

— Ne me regarde pas avec ce petit air espiègle, je me retiens déjà de me jeter sur toi.

Je pouffe de rire.

— Ce n'est pas parce que j'ai passé une nuit digne d'un polar que je n'ai pas besoin de tendresse.

Il se met à genou devant moi et tapote mes cuisses d'un geste un peu trop amical à mon goût.

— Liséa, nous sommes d'accord que tu ne souhaites pas de moi dans ta vie ?

— Je..., tu sais Fabien, ... je...

— Liséa, ne te force pas à prendre des pincettes avec moi, je vaux mieux que cela. Je savais que tu devais rentrer. Je sais aussi que tu vis près de Nantes et que je vis à Paris. Que tu vis des moments extrêmement difficiles... Tu sais que tu me plais... beaucoup, précise-t-il après quelques secondes. Mais...

— Mais quoi ?

— Bref, je suis là si tu as besoin.

À mon tour d'approcher mon visage près du sien et de l'embrasser délicatement sur les sourcils, puis sur le nez, et enfin sur la bouche.

Ses lèvres sont chaudes et un frisson me parcourt telle une décharge électrique, comme à chaque fois qu'il me touche.

Quand je recule, je constate que ses yeux sont brillants. Sûrement presque autant que les miens.

Nous savons tous les deux que nous partageons notre dernier moment ensemble et une aura de sensibilité et d'émotion se tient au-dessus de nous et flotte dans la pièce. Je prends le vol de ce soir, à 18h30, et mes parents m'attendront à l'aéroport.

— Tu comptes rester jusqu'à quand, en Islande ? demandé-je timidement, la voix remplie d'émotions.

— Je partirai à la fin de l'été. Je dois rendre mon manuscrit à mon éditeur début septembre, alors il faut que je me bouge un peu parce que ces derniers temps, mon quotidien a été légèrement bouleversé par une inconnue.

— Navrée d'avoir perturbé l'avancée de ton manuscrit, souris-je timidement.

Il m'embrasse les cheveux avant de se redresser et d'aller à la fenêtre.

— Au contraire, je n'ai jamais été aussi inspiré. Je croule sous les idées et ça, je te le dois !

— Je ne savais pas que j'avais cette importance, plaisanté-je.

Il se retourne et me fixe intensément.

— Tu vas me manquer, princesse.

Nous restons nous regarder à distance l'un de l'autre, intensément, laissant voyager un flot de messages sous-jacents qui nous guideraient pour nos vies à tous les deux.

Les retrouvailles avec mes parents ont été pleines d'émotions. Je me suis effondrée comme une petite fille dans leurs bras, à l'aéroport, sans faire attention aux gens qui pouvaient nous observer.

Et mon quotidien de célibataire a pris sa place. J'emménageai chez mes parents, à Nantes, le temps de me poser. L'idée était de trouver du travail pour me construire une place professionnelle. Cependant, je ne voulais plus vivre en ville, et je ne voulais plus vivre ici. J'aimais mes parents, mais il était hors de question que je devienne dépendante de qui que ce soit, à présent. Je ne savais pas vraiment ce que j'allais faire de ma vie, mais tout ce que je voulais, c'était avancer.

Le procès n'était qu'en février prochain. J'avais quelques mois pour tenter de tourner la page et de poursuivre l'ascension du Phoenix qui avait entamé son vol en Islande. Mais aussi, me préparer à affronter mon ex-mari.

J'avais quelques messages de Fabien de temps à autre. Même si ceux-ci s'espaçaient avec le temps.

Je ne parvenais pas à me le sortir de la tête. Lui et son air à la fois provocateur et terriblement séduisant. Mais je devais avancer, seule, pour le moment.

Alors lorsque je lus une annonce pour un poste de libraire à Roscoff, une petite ville du Nord Finistère, je n'hésitai pas une seconde à me déplacer et à me présenter en personne pour mettre toutes les chances de mon côté. C'était parfaitement irréfléchi et instinctif, mais rien ne pouvait aller contre cette nouvelle spontanéité, même si elle pouvait parfois me terrifier.

La ville de Roscoff possédait un vieux port pittoresque et typiquement breton. C'était un coup du destin. La patronne de la librairie fût séduite par mon culot et m'embaucha en me proposant même de me louer l'appartement au-dessus de la librairie. C'était complètement surréaliste et j'avais l'impression d'être dans un nouveau roman que j'écrivais où j'étais seule maîtresse de la suite. J'étais hyper excitée à l'idée de démarrer ce nouveau chapitre.

Je n'avais plus peur en marchant dans la rue, je me sentais femme, plus que jamais sûre de moi. J'étais bien consciente que mon escapade en Islande avait permis cela. Et lorsque j'affrontai cette nouvelle vie qui s'offrait à moi, je serrai fort entre mes doigts mon nouveau pendentif qui avait été envoyé par Fabien. J'y tenais énormément car y était gravé le prénom de ma fille accompagné d'une une jolie colombe.

Dans le paquet qui comportait ce magnifique cadeau, Fabien avait écrit un mot qui m'indiquait qu'il me souhaitait un bel envol, que je le méritais amplement et que j'avais été une de ses plus belles rencontres.

Ce geste m'avait profondément touché et m'avait bouleversé car cela semblait marquer un adieu définitif. Alors, comme pour me rattacher à tout jamais à ces deux personnes, je ne le quittais pas.

Cet homme avait été un miracle sur le chemin de ma résilience.

Alors, sur les pavés bretons, face à la mer, les cheveux au vent comme un signe révélateur de liberté, je marchais, plus forte que jamais, prête à m'accomplir dans ce qui me semblait enfin être moi.

Dix mois plus tard – 25 mai 2020

En descendant sur le tarmac, marche après marche, je souris.

Je repense à la personne qui avait débarqué l'an dernier dans ce même aéroport, choquée par le silence qui m'entourait, ouverte à cette nouvelle aventure. Et je repense à cette femme aux cheveux blancs qui avait eu des paroles si réconfortantes.

C'est plutôt instinctivement que je me dirige vers la sortie de l'aéroport, et d'un signe de la main, j'interpelle mon chauffeur qui m'accompagne jusqu'à la location de voiture.

Pendant que nous roulons, je dévore des yeux le paysage qui m'entoure. Je suis tellement heureuse de retrouver ce décor splendide qui me prend aux tripes et qui me fait réaliser à quel point je suis petite. Ces émotions qui me parcourent me hérissent les poils et un sourire ne quitte pas mon visage.

Sur la route 1, l'asphalte gris foncé est praticable car la neige a fondu. En Islande, il n'y a pas d'odeur. Uniquement, la sensation de respirer de l'air pur. Je me laisse donc envahir par cette joie qui me porte au cœur, oubliant les appréhensions qui ne m'avaient pas quittée pendant le vol.

Si, je n'étais plus la même femme et que, cette fois-ci, j'assumais fièrement le prénom de Liséa, des doutes pouvaient encore parfois m'envahir. Mais peu importe, j'étais heureuse et fière du chemin parcouru. Le procès en février n'avait pas été simple, mais j'étais soutenue à la fois par mes parents, par Catherine la libraire, mais aussi par Fabien qui avait pris le temps de m'appeler à plusieurs reprises.

Stéphane avait écopé de 4 ans de prison, dont deux avec sursis. C'était peu face à toutes ces années de souffrance qu'il m'avait fait subir, mais j'étais en paix. Je sais qu'à sa sortie, il ne me cherchera pas, car il n'a plus d'emprise sur moi. Ou alors, par vengeance. Mais je ne me sentais plus prisonnière, et à Roscoff, je n'étais plus en fuite.

Je m'étais fait des amis, j'aimais mon travail par-dessus-tout et lorsque j'avais déballé les cartons, le mois dernier, où le livre de Fabien trônait en évidence, un sentiment de nostalgie et une pointe à la poitrine m'avaient fait comprendre que je ne l'avais pas oublié.

À ce moment-là, j'avais pris un billet d'avion pour voir si le destin allait faire en sorte que nous nous retrouvions en Islande. Je m'étais imaginé les différents plans que je pouvais être amenée à rencontrer.

Le fait, tout simplement, qu'il ne soit pas là, et qu'il ait décidé de ne pas revenir cette année.

Le fait qu'il soit là, mais qu'il ne veuille plus me voir. Ou alors, qu'il me repousse et soit distant après tout ce temps.

J'avais mis le propriétaire des cottages dans la confidence il y a plusieurs mois de cela et il m'avait confié que pour l'instant, Fabien n'avait pas fait de réservation.

J'avais pris le risque. Dans le pire des cas, je passerais des vacances en Islande et je me retrouverais face à ce qui m'avait tant aidé dans ma reconstruction.

D'ailleurs, vacances que pour le moment, j'avais la chance de vivre. La situation sanitaire depuis quelques mois n'était pas des plus simples en France, ni dans le monde entier. Mais en Islande, il n'y a que très peu de malades, je suis donc partie plutôt tranquille, laissant les angoisses et inquiétudes sur l'avenir, en France.

Ce n'est que plusieurs heures plus tard, que j'atteins enfin le cottage qui m'avait accueillie l'année dernière.

Je suis à un sommet d'excitation sans pareil et je n'arrive pas à calmer les battements de mon cœur qui semble avoir envie de sortir de ma poitrine.

L'effet d'adrénaline retombe assez vite lorsque je constate qu'il n'y a aucune voiture garée devant les chalets.

Le propriétaire est absent. Je m'empresse de refaire le même geste que l'an dernier en récupérant les clés dans la boîte adossée à la petite maison en bois. Je pousse un gros soupir de gratitude en ouvrant la porte d'entrée.

Je m'installe rapidement, vidant ma valise et installant dans les placards la nourriture que j'ai apportée. Puis, je me prépare une tisane et attends. Je ne sais pas vraiment ce que j'attends réellement s'il s'avère que Fabien n'a pas loué le cottage mais je reste avec cette forte perspective positive en tête. J'ai beau me dire que je profiterai de ce séjour pour me reposer, j'ai un sentiment gigantesque de frustration qui s'élève en moi. Je ne fais que tourner en rond au sein de mon petit salon et espère que les heures passent au plus vite.

Si Fabien est parti se balader, il ne devrait pas tarder à revenir. Mais je m'interdis de guetter le moindre mouvement qui a lieu autour de mon logement.

Alors, je prends un roman et jette de temps en temps des coups d'œil vers l'extérieur en espérant que soit Fabien, ou à défaut, un troupeau de Rennes passe devant mes yeux.

Et pour ma plus grande joie, cela ne manque pas. Au bout de quelques pages de lectures, j'aperçois un Renne qui se tient à quelques centaines de mètres, près de la falaise. Je sais qu'il ne doit pas être seul, alors je me lève prudemment pour ne pas faire de mouvement trop brusque et m'active pour revêtir une veste et une paire de chaussures.

Je me glisse à l'extérieur en douceur. Le vent est froid et je remonte rapidement la fermeture jusqu'à mon cou pour m'abriter. Je glisse mes mains dans mes poches polaires et avance doucement vers le Renne. Je constate assez vite qu'effectivement il n'est pas seul, et je me surprends à me pencher pour ne pas me faire voir afin de ne pas le déranger.

C'est un spectacle dont je ne me lasserai jamais. Ces animaux sont fantastiques, et surtout leur attitude gracieuse est surprenante. Ici, ils sont les rois de la nature.

Je finis par m'asseoir sur un tas d'herbe un peu plus en hauteur, et reste les observer, glissant ma tête entre mes épaules pour me réchauffer.

S'ils m'ont aperçue, ils ne semblent pas perturbés et continuent de marcher doucement, les uns derrière les autres. La brise légère effleure mon visage et je ferme les yeux quelques instants pour profiter de ce moment. Je ressens les mèches de mes cheveux, pourtant attachés, caresser mes joues, et m'empresse de rouvrir les yeux pour ne rien manquer de la magie de l'instant.

— Je savais que tu reviendrais pour voir ce spectacle. Une voix vient de chuchoter à mon oreille et je suis tellement surprise que le son reste bloqué dans ma gorge.

Je me retourne tout doucement, comme une scène au ralenti et lorsque je suis face au sourire de Fabien, avant même d'avoir envie de lui sauter dans les bras, je suis extrêmement émue.

Je reste immobile dans les herbes humides pendant que les larmes viennent perler au coin de mes yeux.

Il vient alors m'attraper les mains et nous restons nous regarder un long moment, tous les deux envahis par nos propres émotions.

Il n'a que peu changé. À la différence, qu'une barbe naissance couvre le bas de son visage. Ses yeux bruns sont toujours aussi malicieux et les quelques mèches qui lui tombent devant les yeux lui donnent un air terriblement sexy. Sa veste kaki imperméable qui lui moule le buste, met en valeur son corps athlétique qui ne l'était pas autant l'an dernier.

— Tu sais, je ne suis pas uniquement venue voir les rennes sauvages, prononcé-je d'une voix légèrement doucereuse.

— Ah bon ?

— Oui, je crois que je cherche un écrivain solitaire qui pourrait faire partie de ma vie s'il en a envie.

— Tu m'as manqué, murmure-t-il avant de poser ses lèvres sur les miennes et d'amener ma tête vers lui à l'aide de ses mains.

Un moment suspendu digne d'un conte de fées insolite. Nous deux, assis sur l'herbe haute et humide, entourés de rennes, face à la mer. Un instant comme l'on en voit seulement dans les comédies romantiques. Et pourtant, cela m'arrive à moi, Liséa, malmenée par l'amour pendant près de vingt ans. Lorsque nos bouches se séparent, il n'est plus question de se lâcher les mains. Et au bout de longues minutes intenses et fraîches, nous rejoignons le chalet. À l'abri dans mon cottage, assise sur ses genoux et les bras entourant son cou, je l'observe en souriant.

— J'étais persuadé que tu allais venir, me dit-il d'une voix douce.

— Comment pouvais-tu en être persuadé ? rétorqué-je, taquine.

— Je savais qu'il te fallait un peu de temps avant de prendre conscience que tu ne pouvais plus te passer de moi.

J'éclate de rire, serre de mes doigts le pendentif qui pend à mon cou, et en levant la tête vers le ciel étoilé, je pense à ma fille qui me regarde certainement de là où elle est, et pour la première fois depuis tant d'années, je saisis le bonheur qui me frappe de plein fouet et je regarde le véritable homme de ma vie qui m'aidera à être la femme que je mérite d'être.

Epilogue

23 décembre 2020

— Lis' bébé, dépêche-toi, tes parents vont s'impatienter !

Je continue de fouiller dans mon dressing à la recherche de ma paire de chaussures en daim vert que je veux absolument mettre ce soir. C'est un moment fort qui nous attend et je veux que cela soit parfait. Ce soir, c'est l'inauguration de l'espace *coffee shop* de la librairie.

Dans un dernier soupir, je parviens enfin à les trouver, sous des boîtes de carton qu'il faudrait, à l'occasion, que je trie.

Depuis que Fabien s'est installé avec moi dans l'appartement au-dessus de la librairie, il est clair que nous sommes à l'étroit. Catherine se sert de son réseau sur Roscoff pour nous rechercher quelque chose de plus grand, avec l'option d'une pièce spécifique pour permettre à Fabien d'écrire sans que je sois dans ses pattes. Même s'il aime de plus en plus venir écrire à la librairie, lorsque j'y travaille. Il faut, de toute façon, trouver notre propre chez nous. Je rêve d'une maison au bord de la mer, me permettant d'être réveillée chaque jour par les embruns salés.

L'idée de créer un espace café et salon de thé au sein de la librairie, germait dans mon esprit depuis plusieurs mois. Et aujourd'hui, c'est enfin le moment !

— Liséa, tu vas louper ton propre moment de discours !

— J'arrive, c'est bon, je suis là !

Je sors de la chambre et rejoins Fabien qui m'attends dans l'entrée.

— Waouh ! Ça valait le coup d'attendre en fait ! D'ailleurs, je ne sais pas si c'est une bonne idée d'y aller finalement. Tu es beaucoup trop attirante pour que je te partage avec d'autres regards !

Je rigole lorsqu'il glisse sa tête dans mon cou, et m'embrasse au-dessus de la poitrine. J'ai revêtu une robe longue en soie noire avec un gilet vert.

— Tu n'es pas mal non plus !

Et c'est vrai.

J'ai rarement vu Fabien aussi classe. Il porte un jean foncé avec une veste vert émeraude et un nœud papillon de la même couleur, sur une chemise crème. Il est superbe, très séduisant et des papillons virevoltent au sein de mon ventre lorsque je le regarde.

— Je suis tellement fier de toi, prononce-t-il avec émotion.

— Merci. C'est un peu grâce à toi tout ça. Bon, beaucoup grâce à moi, mais un tout petit peu grâce à toi aussi.

Il caresse gentiment mon épaule et nous sortons de l'appartement pour rejoindre le monde qui nous attend devant la librairie. Je suis très émue de savoir qu'une partie de la population de Roscoff se tient devant nous. J'aperçois immédiatement le sourire de mes parents qui me serrent dans leurs bras en me murmurant tendrement, qu'ils sont fiers de moi.

Je ne suis pas très à l'aise avec les discours, mais avec Catherine à mes côtés et tous les proches que j'aime qui m'entourent, je me sens si légère que j'ai la sensation de voler.

Jamais je n'aurais cru pouvoir me reconstruire après tout ce que j'avais traversé.

Jamais je n'aurais pensé pouvoir tomber amoureuse et refaire confiance à un homme.

Jamais je ne pensais me sortir vivante de cette histoire qui était devenue ma vie.

Alors, quand je sors prendre l'air, pour profiter de cet instant, pendant que tout le monde fête cela au champagne, je suis tellement sur mon nuage que je vois à peine une personne qui se tient au bout de la rue, face à moi.

C'est dans sa posture rigide que cela finit par m'interpeller. Il me semble qu'il s'agit d'une femme, mais je n'en suis pas certaine et je reste la fixer, pensant presque qu'il s'agit d'une statue tant elle reste immobile.

Je ne sais pas combien de temps nous restons l'une et l'autre à nous dévisager, mais je finis par traverser les quelques mètres qui nous séparent pour l'approcher.

— Bonsoir, osé-je demander. Vous étiez à l'inauguration ?

— Non, pas vraiment, hésite-t-elle d'une voix fébrile.

— Et, je peux vous aider ?

Je m'enveloppe du plaid que j'ai attrapé en sortant de la librairie pour me protéger du froid hivernal et reste attentive à sa réponse.

Les lumières de Noël installées par la commune se reflètent sur son visage mais ne l'éclairent pas suffisamment pour me permettre de la reconnaître.

— Vous êtes Liséa c'est ça ? La femme de Stéphane ? Un frisson me parcourt la colonne vertébrale à l'entente de ce prénom, et mon ton devient plus sec.

— Ex-femme. Que me voulez-vous ?
Elle s'avance vers moi timidement et cette fois-ci c'est moi qui recule doucement.

C'est une femme d'une cinquantaine d'années, d'origine africaine. Elle porte un pantalon assez large et une énorme doudoune violette.

— Navrée de perturber votre soirée. Stéphane m'a engagée il y a maintenant six ans et comme il ne me donne plus de nouvelles, j'ai décidé de venir vous voir.

— Je ne sais pas quel est votre lien avec lui, mais Stéphane est incarcéré à la prison de Rennes.

— Oui, je l'ai appris il y a quelques mois seulement. Et puis, il fallait vous retrouver. J'ai réussi à trouver votre trace grâce à l'article sur l'inauguration il y a quelques semaines.

— Pourquoi me cherchez-vous ? questionné-je, méfiante.

Nous sommes toujours dans le noir. La vitrine de la librairie est éclairée par l'animation qui s'y trouve mais cela suffit à peine à voir nos visages.

— Comme je le disais, votre ex-mari m'a embauchée, murmure-t-elle.

— Vous a embauchée pour quoi exactement ? Je ne comprends rien à ce que vous dites.

— Il craignait que vous ne l'abandonniez. Et… je suis tellement désolée madame Liséa. J'étais persuadée qu'il disait la vérité. Il disait que vous alliez le quitter et lui enlever sa fille.

Je commence à trembler, et je n'ai pas l'impression que c'est lié au froid.

— Mon ex-mari vous a embauchée pour quoi, madame ? Et quand ?

— En 2014, madame.

Elle penche la tête vers le sol et reste fixer le trottoir.

— Ecoutez, je ne sais pas ce que vous voulez, mais il faut que je retourne à mon travail, m'agacé-je.

Je vais pour me retourner et rejoindre la librairie, mais elle m'interpelle d'une voix beaucoup plus forte. Forte, mais tremblante.

Je la rejoins et me retrouve plus qu'à quelques centimètres d'elle. Je réalise que des larmes coulent le long de ses joues et suis bouleversée devant la douleur qui transparait sur les traits de son visage.

— Madame, c'est très difficile ce que j'ai à vous dire... vous allez avoir du mal à m'écouter jusqu'au bout.

— Je ne sais pas où vous voulez en venir, mais est-ce que c'est le lieu idéal ?

— Il n'y a pas vraiment de lieu idéal... je ne veux pas perturber vos amis. Je ne voulais pas vous déranger lors de votre soirée, madame, mais je n'arrivais plus à vivre une minute de plus avec cela sur le cœur. Je ne sais vraiment pas par quoi commencer.

Je regarde autour de moi et aperçois le banc où je déjeune parfois lorsque les rayons du soleil sont présents sur la ville de Roscoff. Je l'invite gentiment à s'y assoir et m'assois également à ses côtés.

— Votre ex-mari m'a embauchée via un de ses amis. Mon métier c'est de garder les enfants et il a fait appel à mes services en début d'année 2014. Au début, il m'a exposé son plan, et j'ai refusé immédiatement. Mais votre mari n'avait pas dit son dernier mot, on ne refuse rien à votre mari...

— Ex-mari, m'irrité-je.

— Pardon, oui...j'ai vu dans la presse tout ce qu'il vous a fait subir, et alors ma vie s'est effondrée. J'ai réalisé qu'il m'avait complètement manipulée.

— Stéphane vous battait ?

— Oh non madame, bien sûr que non. Mais il s'est montré très insistant et m'a dépeint un tableau de vous, tellement... tellement horrible que j'ai eu pitié de lui et de votre fille.

— Qu'est-ce que ma fille a à voir avec tout cela ?

— Monsieur Stéphane m'avait embauchée pour votre fille.

— Comment ça, pour ma fille ?

Était-ce ma voix qui tremblait ainsi ?

— Pour la garder, madame.

— Mais que voulez-vous dire ? Ma fille n'a jamais été gardée par personne, j'étais à la maison tout le temps.

— Non, je l'ai gardée après.

Alors, soudainement, ma gorge devient sèche et douloureuse. Je n'arrive plus à avaler ma salive et je dois humidifier mes lèvres pour prononcer les mots suivants.

— Après quand ? Qu'essayez-vous de me dire ?

De nouveau, elle baisse la tête et sanglote doucement.

Je tourne la tête vers la librairie, j'entends le son de la musique et les voix qui animent l'espace inauguré, mais j'ai le sentiment d'être dans une dimension parallèle. Je voudrais que Fabien soit là. Je ne sais pas pourquoi, mais je suis très mal à l'aise et après le froid, je suis prise de sueur.

— Votre mari m'a embauchée pour garder votre fille, après vous avoir fait croire qu'elle était morte. Je devais l'élever comme si c'était la mienne et il venait la voir tous les jours...

La phrase est sortie si vite, qu'il me semble que dix étages viennent de me tomber dessus. Mon cerveau prend le temps de reformuler ce que je viens d'entendre, liant les mots entre eux pour tenter de comprendre leurs significations.

— Que voulez-vous dire ?

J'ai murmuré cette question avec une voix si faible que je me demande si elle est parvenue jusqu'à elle. Mais elle tourne la tête vers moi et, pour la première dois depuis notre rencontre, m'affronte réellement.

— Votre mari m'a dit que vous le battiez. Que vous alliez lui enlever sa fille qui n'était d'ailleurs pas votre fille. Que sa propre mère était déjà morte et que vous la rendiez très malheureuse jusqu'à la maltraiter. Que vous alliez finir par la tuer, alors il fallait inverser les choses.

C'est vrai que c'était difficile à croire, mais je vous assure que Monsieur Stéphane était très persuasif. Quand j'ai vu votre fille, je l'ai tout de suite considérée comme la mienne, elle était si perturbée, mais si adorable.

Je porte la main à ma bouche et si l'air n'humidifiait pas ma paume, je penserais que je ne respire plus.

Je répète une dernière fois :

— Que voulez-vous dire ?

— Lorsqu'il vous a annoncé qu'elle était morte à la pêche et que vous n'avez jamais pu voir son corps parce que vous étiez trop faible et hospitalisée à l'époque, elle ne l'était pas...

— Elle n'était pas quoi ? crié-je carrément.

— Elle n'est pas réellement morte.

— Mais vous rigolez ! Je me suis rendue à son enterrement !! Je hurle à présent.

— Oui, je sais, c'est ce que tout le monde a cru. Seul votre mari était dans la confidence puisqu'il avait tout manigancé.

— Ecoutez, vous délirez complètement ! Je ne sais pas ce que vous avez en tête et si c'est un coup de cette ordure, mais foutez le camp avant que j'appelle la police.

— Je savais que vous auriez du mal à me croire... Vous avez vécu ce mensonge pendant tant d'années... Je suis tellement désolée. Rien ne pourra jamais me racheter.

Pour autant, je ne parviens pas à me lever. Je reste assise, littéralement scotchée sur le banc glacé, pendant que la femme se lève. Je voudrais la rattraper, mais c'est impossible. Je ne la suis même pas du regard car je reste fixée sur la mer, en contrebas du port.

Quand je tourne la tête sur la droite pour finalement apercevoir où elle se trouve, je la vois de nouveau avancer vers moi et mon Dieu, ... elle n'est pas seule.

Se tient à ses côtés, une toute jeune fille qui paraît si frêle que sa silhouette semble se fondre dans la pénombre.

Je pousse un petit cri, me laisse tomber du banc et reste à genou sur les pavés froids, les yeux ne pouvant se détacher de cette jeune fille.

Alors, quand elle arrive à ma hauteur, la femme assez forte reste en retrait et j'aperçois enfin le visage de cette fille qui a également le visage couvert de larmes.

Six ans ont passé, et pourtant je reconnaitrais ce visage entre des milliers. Ses petites taches de rousseur sur ses pommettes, la forme de ses yeux et le dessin de sa bouche qui ressemble tellement au mien.

Je suffoque et manque de cesser de respirer tant j'ai le souffle suspendu.

Elle se précipite alors vers moi, tombe à genou, crie un « maman » qui me tord le ventre et lorsque je la touche enfin, une onde de chaleur nous envahit toutes les deux pour nous transporter dans un endroit qui nous avait été enlevé pendant ces six dernières années.

Je serre dans mes bras, ma fille de onze ans, ma princesse que je croyais voir briller dans le ciel, et qui se tient en chair et en os entre mes bras gelés et tremblotants. La force que je ressens soudainement est si intense que je respire dans une bouffée son odeur. Et pendant que je ferme les yeux si fort que cela en devient douloureux, je me fais la promesse de ne plus jamais regarder en arrière, et d'avancer vers l'avenir. Vers notre avenir...

Remerciements

Mon troisième roman est enfin entre vos mains ! En pleine écriture d'un roman, nous sommes allés en Islande, en mai 2022 et je suis tombée amoureuse de ce pays. Alors, j'ai décidé de mettre de côté le roman que j'écrivais pour écrire cette histoire qui a germé dans mon esprit pendant notre voyage et que je brûlais de coucher sur le papier.

Ecrire, est une de mes sources d'évasion, c'est ma façon de vous faire partager les voyages que je peux faire en famille. C'est pour moi indispensable de décrire des paysages que j'ai réellement parcourus.

Contrairement aux deux autres romans, celui-ci s'est construit au fur et à mesure des chapitres que j'écrivais. Je n'avais aucune idée d'où j'allais aller... Je me suis laissé porter par Liséa.

En tant que travailleur social, j'ai été amenée à accompagner des femmes victimes de violences conjugales. Et dans ce roman, j'ai eu envie de leur rendre hommage.

À toutes ces femmes qui se sont confiées à moi, à toutes ces femmes qui peuvent vivre cela derrière les murs d'une maison opaque, à toutes celles qui n'ont pas réussi à fuir.

Sans tomber dans le côté trop sombre, je voulais mettre en avant la reconstruction que cela nécessite. La subtilité de cette violence sur des femmes qui perdent peu à peu confiance en leur force et en leurs capacités.

J'espère qu'à travers l'histoire de Liséa, vous aurez à la fois voyagé et à la fois été sensibilisé à cette cause qui me tient à cœur.

Parce qu'aucune femme, aucun homme, aucun enfant ne mérite qu'on lève la main sur elle, sur lui, à aucun moment de la vie, JAMAIS.

Merci à mon amie, Morgane Berriot, qui depuis le premier roman m'encourage, me soutient et surtout effectue un travail exemplaire de correction !

Merci à mes trois hommes, qui une fois de plus, sont d'un soutien gigantesque, parce qu'écrire sème l'incertitude en permanence. Et chaque fois, j'ai l'impression de livrer une partie de moi lorsque je vous confie un roman.

Merci à vous chers lecteurs, n'hésitez pas à me suivre sur les réseaux sociaux, de mon côté, je file écrire une autre histoire pleine de voyage.

Prenez soin de vous !

Pour me suivre :

- 🇫 Anaelle Guerin
- 📷 guerinanaelle_ecrire_chanter

Playlist pendant l'écriture

I didnt' know - Sofia Carson

Come back home - Sofia Carson

Happier than ever - Billie Eilish

Le Fantôme de l'opéra - Lindsey Stirling

She's like the wind - Patrick swaye

Bam, Bam - Camila cabello

Hold my hand - Lady gaga

Halo - Beyonce

Drivers licence - Olivia Rodrigo

Chasing cars - Snow patrol

The story - Sarah ramirez

How to safe life – The Fray

The loneliest – Maneskin

Never ending story- Limahl

Mon cœur – Izia

How you remind me – Nickelback

Irrelevant – Pink

Abcdefu - Gayle

Lieux d'écriture de ce roman

✓Dans mon jardin, le soleil tapant sur les épaules, face aux lauriers blancs et au figuier

✓Sur mon lit avec un thriller ou une comédie romantique en fond sonore sur un autre ordi

✓Dans l'avion revenant d'Islande

✓Dans la voiture pour aller en vacances (Pays Bas, Belgique, Danemark)

✓Sur mon canapé, devant un film

✓Sur la table du salon, la tête de ma chienne sur mes genoux

Quelques photos prises Faustine/Liséa 😊

Vue du cottage

Le blue lagoon

Première location à
Reyjkavik

Cascade de Seldjanfoss

Seydjfordur

Akureyri

Un petit avant-goût de mon prochain roman...

« Ce n'est pas vrai, je vais être en retard !
Non pas que je ne sois pas prévoyante et que mon réveil n'ait pas été enclenché. Bien au contraire ! Posé délicatement sur mon chevet, à exactement 30 centimètres de mon visage lorsque je dors. Programmé sur 7 heures du lundi au vendredi, j'ai vérifié comme chaque soir, une dizaine de fois que celui-ci était bien activé.

Et malgré cela, je suis en retard.

Je reprends mon souffle et halète comme un animal assoiffé. Rien que de réaliser mon réveil manqué me coupe la respiration. Limite, je suis en hyperventilation et je dois me retenir de courir à la cuisine chercher un pochon en plastique pour respirer dedans.

Pendant ce temps, mon cerveau réfléchit au pourquoi du comment je ne suis pas parvenue à entendre la sonnerie du réveil qui est pourtant au niveau sonore n°6. Il est 7h10 et je suis déjà épuisée de moi-même.

Autant dresser le tableau de suite. Que vous soyez fixés ! Je ne suis pas une pauvre fille qui n'aspire qu'à être à l'heure à son travail et qui tremble devant le moindre reproche de son boss. Je n'angoisse pas nécessairement pour tout... non... pas pour tout... enfin je crois.

H.P.I.

Trois petites lettres qui font un peu nom de code d'agent secret. Sauf que je suis loin d'être une James bond girl. Deux consonnes et une voyelle régissent ma vie. Je n'ai pas toujours été H.P.I. Jusqu'à mes 25 ans, j'étais une fille complètement tarée, mal dans sa peau et incapable de se créer un réseau social stable.

Depuis, j'ai été diagnostiquée, et tout va mieux.

Oui, tout allait parfaitement mieux. Même si mon compagnon venait de me quitter après 9 ans de vie commune, j'étais plutôt bien entourée...

Deux amis. Voilà à quoi, ou à qui, se résumait mon lien social : Clémence et Benoît. » ...